BUEN PADRE, MEJOR JEFE

Natalia Gómez del Pozuelo

Buen padre, mejor jefe

Familia y trabajo: dos mundos
relacionados de los que aprender

EMPRESA ACTIVA

Argentina - Chile - Colombia - España
Estados Unidos - México - Perú - Uruguay - Venezuela

© 2010 *by* Natalia Gómez del Pozuelo
© 2010 *by* Ediciones Urano, S. A.
Aribau, 142, pral. – 08036 Barcelona
www.empresaactiva.com

ISBN: 978-84-92452-53-8
Depósito legal: B - 17.740 - 2010

Fotocomposición: Zero preimpresión, S. L.
Impreso por Romanyà Valls, S. A. – Verdaguer, 1
08786 Capellades (Barcelona)

Impreso en España - *Printed in Spain*

A mis hijos,
a mis padres,
a mis colaboradores y
a mis jefes, los buenos y los malos,
que de todos he aprendido.

Índice

Introducción:

A andar se aprende andando; a nadar, nadando; a ser buen jefe, se puede aprender siendo buen padre.

Tengo cuatro hijos y he trabajado más de quince años ocupando puestos directivos en varias multinacionales, con una gran sobrecarga de trabajo, viajes y tensión, lo que supongo que a muchos les resultará familiar. Nunca me planteé la posibilidad de dejar de trabajar, pero sí he buscado constantemente la forma de combinar ambas cosas, sin por ello renunciar a mí misma.

Desde hace unos años también me dedico a escribir, y pensé que debía combinar las facetas más importantes de mi vida, e intentar hacerlo de forma armoniosa. Decidí juntar las tres (familia, trabajo y vocación) en un libro que hablara de mi experiencia y de la de muchos amigos, compañeros y personas a las que he entrevistado, para que sumando vivencias y consejos, ayudáramos a otros padres y madres, que también son o serán jefes, a llevar mejor su vida.

Para analizar la paternidad y la gestión, debemos tener en cuenta el cambio que se ha producido en la socie-dad. Durante miles de años, los hombres eran padres y proveedores económicos del hogar y las mujeres, madres y cuidadoras; y todo parecía más sencillo, pero ahora... ahora intentamos todos hacer lo posible, y muchas ve-ces, lo imposible, por tratar de combinar ambos roles. Las mujeres necesitan desarrollarse intelectual y laboral-mente, pero no quieren desatender esa labor única e in-sustituible que es la maternidad y, al mismo tiempo, los hombres cada vez tienen una mayor implicación en la atención, el cuidado y la educación de los hijos. El rol del padre distante y autoritario, ha dejado paso a unas relaciones más ricas y más completas, llenas de momen-tos de complicidad y de ternura con los hijos.

Y como ambos progenitores comparten, cada vez más, las tareas de proveedores y cuidadores, muchos nos vemos en la compleja situación de no poder llegar a todo.

Este libro es una propuesta sobre lo que podemos mejorar en nuestra vida para cumplir bien ambas funcio-nes, ser padres y profesionales, de una forma más relaja-da y conseguir así una vida más plena.

Hacemos muchas cosas bien en casa, con nuestros hijos, en su educación y acompañamiento, ¿por qué no aprovechar ese aprendizaje en el entorno laboral? De la misma manera, en el trabajo somos muy eficaces en nu-merosos aspectos; tenemos unas determinadas capacida-des que también podemos utilizar para mejorar nuestra labor de padres, porque ser buen padre puede darte he-rramientas muy útiles para ser buen jefe, y en el otro sentido sucede lo mismo. En las siguientes páginas buscaremos dichas herramientas y las claves para aplicarlas de forma sencilla.

Cuando he hablado de este tema en mi entorno, la primera reacción ha sido siempre de interés, y luego, invariablemente me preguntaban con escepticismo si yo creía que ser padre y ser jefe era lo mismo. Y es cierto que no lo es. Los hijos son niños o jóvenes, mientras que los colaboradores son adultos, algo que tendremos en cuenta a lo largo del libro. También debemos considerar que en el trabajo somos prescindibles y para nuestros hijos no, y que si nos va mal en un trabajo, nos podemos buscar otro, pero nuestros hijos lo son para siempre. Pero aun con esas diferencias, creo que ambas labores tienen mucho en común y pienso que puede resultarnos más fácil reflexionar sobre la paternidad y detectar puntos de mejora que nos ayuden también a ser buenos jefes.

¿Por qué nos resulta más fácil reflexionar sobre la paternidad?

Probablemente porque solemos ser más modestos, o tal vez más inseguros, en la labor de padres, ya que la trascendencia de la misma, hace que uno se cuestione constantemente. Además, por los hijos se es capaz de renunciar a muchas cosas, entre otras al ego. Al ser una labor más vinculada a los sentimientos, si uno «siente» la necesidad de cambiar algo que hemos aprendido, luego resultará más sencillo aplicar lo aprendido a otros aspectos de la vida.

¿Y no sería bueno, en el trabajo, ser más modestos, rebajar nuestro ego y utilizar más los sentimientos?

Por eso, el enfoque del libro se centrará en mayor

medida en las actitudes que tenemos a nivel familiar que pueden ser trasladadas al nivel laboral. Si bien este es un camino de ida y vuelta porque, al fin y al cabo, las personas somos «una», aunque a veces manejemos nuestras actividades como compartimentos estancos.

Seguro que todos conocéis a ese profesional amable y simpático que en su casa es un poco tirano, o a esa persona que es muy autoritaria en el trabajo, pero que en cuanto está en el entorno familiar, es un trozo de pan.

«Si mis distintas realidades se divorcian entre sí, incapaces de convivir y contribuir a un ser más rico y poliédrico, la grieta interior pasará una factura carísima (...)»[1]

¿Por qué ser diferentes cuando la vida nos permite mejorar en ambos aspectos de forma simultánea? ¿Por qué no aprender y mejorar continuamente y ¡disfrutar de ese aprendizaje!?

La vida actual está llena de contradicciones. Por un lado, tenemos muy marcado el *ideal* del buen padre y del buen jefe. Pero intentar ser «bueno», y más en todo es un objetivo poco realista. Hay días en que nos ha ido fatal con nuestro propio jefe o con un colaborador, con un cliente, con un hijo o con un amigo, y nos dan ganas de tirar la toalla. Pero no lo hacemos porque siempre hay algo que no va tan mal: la pareja, un hermano, otro hijo..., algo que ese día te ilumina un poco. Aunque eso mismo, al día siguiente te cause problemas. Pero sobre todo, seguimos adelante por nuestros hijos, porque ser padre es algo misterioso, tan misterioso que da miedo,

---

1. *No soy superman.* Santiago Álvarez de Mon Pan de Soraluce. Prentice Hall-Financial Times, 2007.

porque les quieres tanto que duele y, sin embargo, hay momentos en que te cuesta aguantarlos, no eres capaz de comunicarte con ellos y te parecen seres extraños, alienigenas; y lo mismo sucede con tu pareja, con tus colaboradores, con tus amigos... y contigo mismo.

En el trabajo, aunque nos vaya bien, muchas veces tenemos la sensación de que la estrategia de la empresa no es la adecuada, que nuestro jefe no es todo lo competente que nos gustaría, que la presión y la competitividad son excesivas y que lo único que parece importar son los resultados a corto plazo.

Pero no es saludable caer en el desánimo, es más sano pensar en el camino, en cómo ir dando algunos pasos que nos acerquen a la mejora deseada, sin que nos agobien y nos impidan disfrutar tanto de la paternidad como del trabajo.

Cada uno debe reflexionar y formarse su propio criterio, adaptarlo a su persona y a su capacidad en función de su carácter y del tiempo de que dispone, y plantearse pequeños cambios asequibles que le ayuden a mejorar su actitud, no en casa o en el trabajo, sino en la vida, que es una.

Para ello deberíamos quitarnos de la cabeza ese *ideal* «aprendido», que nos hace sentirnos impotentes.

EL MITO DE PROCUSTO

Por orden de Zeus, el padre de los dioses, toda persona que quisiera entrar en Atenas debía pasar una noche en el lecho de Procusto. Esta cama tenía la

medida exacta, la que todo buen ateniense debía te-
ner. Si el individuo era demasiado bajo, Procusto le
colocaba correas en manos y pies hasta que se alar-
gaba. Si la persona era demasiado alta, Procusto le
cortaba las piernas.

Un día Teseo viajaba por ese camino y fue invita-
do por Procusto. Al tumbarse en el lecho, Teseo se
colocó de través en lugar de hacerlo a lo largo como
todo el mundo. Esto desconcertó tanto a Procusto
que Teseo pudo atacarle con su espada, partiéndolo
en dos mitades exactamente iguales

El mito de Procusto explica que la normalidad
no existe y que intentar ajustarse a ella es una equi-
vocación. También muestra cómo defenderse de
quienes, como Procusto, pretenden imponer su mo-
delo: colocándose de otra manera se inutiliza el mo-
delo, sin el cual no saben cómo reaccionar.

Te animo a pensar en ti como ser único e irrepetible,
porque sólo a partir de ahí podrás ser el buen padre o el
buen jefe que *puedes* ser, no el que otros opinan que
debes ser, pero sobre todo, que eso no suponga una carga adicional, sino una descarga.

Los pequeños o grandes resultados que obtengamos
de este análisis, nos harán sentirnos mejor, estar pre-
dispuestos a seguir aprendiendo y por tanto, ser más
felices.

1

Con la actitud adecuada es más fácil cambiar o aprender

«Si quieres cambiar el mundo, cámbiate a ti mismo.»

MAHATMA GANDHI

Aunque llevemos años actuando de una determinada manera como padres o como jefes, es bueno analizar si lo hacemos de forma armónica, si nuestra manera de actuar coincide con nuestro carácter y si nos sentimos serenos y satisfechos.

El ser humano se suele replantear las cosas en los momentos de crisis. Es habitual, por ejemplo, la crisis de los cuarenta, porque uno ha llegado, aproximadamente, a la mitad de su vida. Entonces hace balance y se plantea si quiere seguir viviendo de la misma forma la otra mitad. Para mí, por ejemplo, ha sido fulminante: dejé el trabajo por cuenta ajena, me dediqué a la consultoría, a escribir y me separé. Otros momentos de crisis los suelen producir cambios en el trabajo, una enfermedad, un problema serio con un hijo, un divorcio...

Es lógico y saludable replantearse las cosas en esos momentos, pero es muy interesante analizarlas también en momentos de calma, pensar en lo que somos y en cómo hacemos las cosas para poder anticiparnos a las posibles crisis.

El problema es que cuando reflexionamos sobre nuestra actitud frente a algo, tendemos a pensar que es buena o mala, que tenemos cualidades y defectos, pero lo que consideramos un defecto, es simplemente una cualidad en menor grado. El frío es sólo un nivel menor de calor. Lo que parecen defectos suelen ser manifestaciones de una cualidad.

Si, por ejemplo, estamos desmotivados en el trabajo y no rendimos como esperamos, en vez de pensar que somos vagos y recriminarnos a nosotros mismos nuestra conducta o sentirnos culpables, deberíamos analizar por qué nos comportamos así. Quizá nuestra actitud es más sabia de lo que creemos y a lo mejor nos está mostrando que ese trabajo no es el indicado o que nos está apartando de lo que de verdad queremos hacer, y esto nos ayuda a darnos cuenta de que necesitamos una actividad que vaya en consonancia con nuestro yo más auténtico.

Por eso, en vez de enfocarnos en nuestros supuestos «defectos», deberíamos tratar de reforzar nuestras cualidades. Si queremos expulsar la oscuridad de una habitación, no podemos echarla a empujones, simplemente tendremos que abrir la ventana para que entre luz.

Algunas preguntas que nos pueden hacer reflexionar sobre este tema son:

—¿Me dedico suficiente tiempo a mí mismo?

—¿Me siento culpable cuando lo hago porque me he educado en la abnegación?

—¿Estoy agotado cuando salgo del trabajo y sin ganas de hacer nada más?

—¿He descuidado a ese amigo que tenía problemas?

—¿Mi casa es un caos y eso me irrita?

Para poder conocernos y descubrir las cosas que nos están impidiendo crecer como personas y, por tanto, como padres y como jefes, deberíamos cuestionarnos y también tener claro que nuestro propio valor no depende de lo exterior. En relación a esto me llamó la atención uno de esos típicos correos que circulan por la red, que si bien suelen ser cursis y llenos de tópicos, contenía un mensaje interesante:

Pablo, con el rostro abatido, se reunió con su amiga Laura en un bar a tomar café. Deprimido, descargó en ella sus angustias: el trabajo, el dinero, la relación con su pareja... todo parecía estar mal en su vida.

Entonces Laura introdujo la mano en su bolso, sacó un billete de quinientos euros y le dijo:

—¿Quieres este billete?

Pablo, un poco confundido, le contestó:

—Claro, Laura, son quinientos euros ¿Quién no los querría?

Laura arrugó el billete hasta hacerlo una pequeña bola y mostrando la estrujada pelotita a Pablo, volvió a preguntarle:

—Y ahora, ¿lo quieres también?

—¡Claro! Siguen siendo quinientos euros.

Laura desdobló el billete, lo tiró y lo restregó por el suelo con el pie.

—¿Lo sigues queriendo?

—Mira Laura, no sé qué pretendes con esto, pero es un billete de quinientos euros y mientras no lo rompas conserva su valor.

—Pablo, debes saber que aunque a veces algo no salga como quieres, aunque la vida te arrugue o pisotee, sigues siendo tan valioso como siempre lo has sido. Lo que debes preguntarte es cuánto vales en realidad y no lo golpeado que puedas estar en un momento determinado.

Creo que el mensaje está claro: el valor de cada uno depende de sí mismo, no de cómo se encuentra en un momento determinado, ni de los juicios de otros, ni de los modelos que nos vienen de fuera.

Son muchos los que critican las actuaciones de otros padres y otros jefes, y opinan constantemente sobre cómo deben comportarse los demás. Asimismo, debido a la influencia de los medios de comunicación y de los modelos que muestran, nos cuesta buscar el nuestro propio. La cantidad, la rapidez y la constancia del bombardeo de información aceleran nuestra mente y limitan la profundidad de nuestros pensamientos y nuestra vida.

Como dice Santiago Álvarez de Mon: «Todo se ofrece, se entrega y empaqueta a granel, el pensamiento se estandariza lo cual es una contradicción intrínseca. Vivimos en la superficie de los problemas, nos falta lucidez y valentía para encontrar nuestras señas auténticas de identidad, como personas y como instituciones. Parecernos a los demás nos tranquiliza y justifica.

La empresa actual está sobrada de palabras grandilocuentes, discursos moralistas y reuniones estériles; falta silencio activo y creador, y acción ejemplar comprometida. Esta crítica la hago extensiva también al mundo de la formación, sobrada de diplomas, banalidades y titulitis, y huérfana de ideas, problemas, sueños, conflictos y desafíos concretos.»[2]

Aunque esta sea una imagen bastante realista de la situación, hay que tener en cuenta que tanto la edad como nuestra experiencia están de nuestra parte y que lo que necesitamos saber se encuentra dentro de nosotros. Para llegar a ello, sólo es necesario tener momentos de soledad y de quietud.

Si queremos, de verdad, ejercer una paternidad más plena, si queremos que el trabajo suponga una satisfacción tanto para nosotros como para nuestros colaboradores y, en definitiva, si queremos tener una vida más equilibrada, debemos buscar oportunidades para reflexionar, sin llenarlas inmediatamente con algo.

Por ejemplo, si viajamos en avión o en tren, en vez de coger enseguida la revista de turno, el ordenador o incluso este libro, podemos aprovechar ese momento para aquietar la mente, para dejar que las ideas se abran paso hasta

---

2. *No soy superman*. Santiago Álvarez de Mon Pan de Soraluce. Prentice Hall-Financial Times, 2007.

nuestra conciencia, para «observar» con detenimiento esa actitud de un hijo, un amigo, un colaborador... que no hemos sabido comprender. Pero en vez de pararnos y pensar, nos «llenamos» de material: encendemos la televisión, abrimos un periódico, llamamos por teléfono, miramos el correo... cualquier cosa menos enfrentarnos a la nada; y es en esos momentos de «nada» en los que se producen las mejores ideas o las mejores comprensiones. No hay más que ver dónde se produjeron algunos de los grandes descubrimientos del pasado. Ya fuera en la bañera de Arquímedes o bajo un árbol como Newton, de lugares donde el individuo podía encontrarse a solas consigo mismo han surgido ideas geniales

Pero no sólo se trata de ideas sino también de encontrar dentro de nosotros la forma de tratar a un hijo o de motivar a un colaborador.

En muchas culturas existen ritos o costumbres que fomentan la soledad, ya que para ellos el tiempo que pasamos en soledad es el más valioso de la vida. En nuestra cultura, hay muy pocos momentos, si es que hay alguno, de profunda tranquilidad en los que haya espacio para la reflexión; momentos en los que uno se pregunte por las cosas que le preocupan de verdad, por las que le producen satisfacción. ¿Te has parado a pensarlo de verdad?

Decía Edward Gibbon que «la conversación enriquece la comprensión, pero la soledad es la escuela del genio». Por ello, me gustaría que este libro representara «la conversación» y, por tanto, que enriqueciera la comprensión, pero que posteriormente o de forma intercalada, animara a la soledad y al pensamiento reflexivo.

Muchos anhelamos una vida intensa y auténtica, pero nuestro día a día está lleno de preocupaciones por insignificancias y es que nos cuesta mucho darnos cuenta de todo lo que cargamos hasta que nos quitamos la mochila. Nos da miedo liberarnos del peso porque éste nos da una falsa sensación de valía y de seguridad. El estar tan ocupados y no llegar a las cosas nos puede hacer sentir importantes, pero en realidad, puede que denote impotencia para controlar nuestra vida. Somos reacios a dejar de lado pautas de conducta que hemos seguido durante años.

En cambio, si reflexionáramos más y ejerciéramos nuestra paternidad y nuestra labor profesional de forma más equilibrada y auténtica, nuestras vidas y las de los que nos rodean serían mejores.

Cualquier cambio, por pequeño que sea, que nos ayude a mejorar nuestra vida, es la mejor inversión que podemos hacer

2

Educar o dirigir no debería ser imponer, sino *ayudar a ser*

«En la educación hay que fomentar las inclinaciones individuales, en vez de destruirlas.»

ANÓNIMO

La palabra «*educar*» proviene del término latino *educere*, contracción de *ex ducere*, que significa «sacar afuera», «extraer», o quizá más correctamente «conducir afuera», es decir, «sacar».

Según los estudios realizados a través de sus cursos y conferencias a padres durante más de treinta y cinco años, Bernabé Tierno, psicólogo y psicopedagogo, afirma que la mayoría de los padres desean que sus hijos sean felices. Y parece que tiene sentido, pues también en la mayoría de los casos, el objetivo que uno tiene para sí mismo es ser feliz.

El caso es que si observamos a ese padre tan preocupado por la felicidad de sus hijos, realmente por lo que está más preocupado (aparte, lógicamente, de la salud, la alimentación, el abrigo, el sueño y la seguridad) es porque tenga buenas notas y porque participe en muchas actividades extraescolares (informática, inglés, judo, ballet...) que lo preparen para ser competitivo en el futuro.

Muchos padres proyectan sus propios deseos en la educación de los hijos. No quieren que les falte lo que ellos tuvieron o lo que no tuvieron, desean que estudien lo que ellos estudiaron o lo que no pudieron estudiar, o que lleguen a ser lo que ellos han llegado a ser o lo que no lograron ser, pero se olvidan de lo fundamental: educar no debería ser imponer, sino ayudar a ser.

Como padres, sentimos que debemos empujar, modelar y educar a nuestros hijos con un celo sobrehumano, para darles lo mejor de todo y hacer que sean los mejores en todo. Intentamos introducir en ellos habilidades y conocimientos que les faciliten «ganar dinero» en el futuro, y aunque es importante que sean capaces de ganarse la vida de forma razonable, habría que «escuchar» más atentamente sus inquietudes para tratar de extraer de ellos aquello para lo que tienen unas habilidades especiales o con lo que disfrutan de manera extraordinaria.

No es extraño que hagamos eso con nuestros hijos, cuando lo hacemos con nosotros mismos. Aunque tengamos un buen puesto de trabajo y ganemos lo suficiente para mantener a la familia de forma razonable, muchas veces sobrecargamos nuestra agenda en vez de apuntarnos a ese taller de encuadernación que lleva años tentándonos, o retomar las artes marciales, o simplemente leer un libro, dar un paseo, o... ¡estar con nuestros hijos!

Nos exigimos en exceso para sacar de nosotros ¿el qué?: ¿una mejor posición?, ¿más dinero?

Es bueno formarse, y la curiosidad es un excelente motor para ser más felices, pero quizá no deberíamos centrar nuestro interés por la formación sólo con fines laborales. Hay muchas maneras de pasar el tiempo libre porque cada vez la vida es más larga, y si lo basamos todo en el trabajo, cuando llegue el momento de la jubilación, podríamos sentirnos vacíos. Muchos conocemos ejemplos de personas que cuando se jubilan, se ponen enfermas y, en algunos casos, desafortunadamente, mueren al poco tiempo. Si en vez de intentar incorporar sólo conocimientos, tratamos de extraer de nosotros mismos las cosas especiales que nos dan placer y satisfacción, podremos sentirnos plenos y, lo que es mejor, apasionados hasta el final.

Lo mismo sucede con los hijos. Cuando empiecen a trabajar, a los veintitantos, tendrán sesenta o setenta años por delante. Es por ello que deberíamos intentar extraer del fondo de sus pequeños o jóvenes seres, sus habilidades, sus aficiones, las cosas con las que disfrutan, esas cualidades que sólo ellos tienen, de manera que ellos mismos vayan edificando a partir de ahí.

«Cuando padres y educadores fomentamos el pensamiento creativo en el niño, realizamos la noble y "cuasi divina" tarea de despertar sus talentos más escondidos e iniciarles en el divino placer de la creación.»[3]

Pero tendemos a preferir que nuestros hijos trabajen en la empresa privada o que sean funcionarios, a que

---

3. *Ser padres hoy. Escuela de padres.* Bernabé Tierno. Editorial San Pablo, 1992.

sean pintores, fontaneros, escritores, artesanos... Creemos que es más seguro, pero la seguridad es una quimera, ya que lo que hoy nos parece seguro, mañana cambia y se convierte en precario. ¿Cuántos jóvenes con carrera universitaria están en paro?

A nuestros hijos les puede ir mejor y, sobre todo, pueden ser más felices, si son ellos mismos, es decir, si conseguimos ayudarles a extraer su esencia en vez de introducir en ellos conocimientos y habilidades estandarizadas.

Como dice Carl Honoré en su libro *Bajo presión,* vivimos en un mundo (el occidental) hiperexigente, en el que los niños están rodeados de comodidades materiales y son el centro del universo de los padres. Sin embargo, en muchos aspectos, como son la mala alimentación, el exceso de entrenamiento deportivo, el ansia de fama, dinero y belleza física, parece que la actitud moderna hacia los niños está fracasando.

En contraposición a este modelo de exigencia constante, cada vez está más extendida la creencia de que los niños se desarrollan mejor cuando tienen tiempo, cuando juegan y también cuando se aburren, porque eso les da espacio, les permite soñar y divertirse con lo que les gusta, les deja la posibilidad de decidir qué hacer y también de equivocarse, de ser alegres y no tener la agenda más cargada que la de un alto directivo.

Pero los padres, muchas veces no sólo no jugamos con los hijos, sino que tampoco dejamos que ellos jueguen. A menudo, les tenemos demasiado presionados y les protegemos hasta un extremo asfixiante. Hasta el hecho mismo de la paternidad se está convirtiendo en algo competitivo: ¿por qué mi hijo saca malas notas si el de fulanito no es más listo y las saca buenas?, ¿estaré haciendo algo mal?... Y nos metemos en una rueda de presión que nos hace sentirnos agobiados y nos lleva a agobiar a los hijos con más actividades y más exigencias.

No sólo no les dejamos «ser», sino que tampoco nosotros actuamos de acuerdo a nuestra verdadera forma de «ser».

Pero no sólo nos olvidamos de «ser» y de «jugar» en la vida personal, también lo hacemos en el trabajo: «Efectivamente, el trabajo puede ser un juego. Es juego cuando su tiempo es el presente: cuando es, ante todo, un cauce de lo que somos, la expresión de nuestra Identidad, y no exclusivamente un medio para llegar a ser lo que no somos aún o para llegar a poseer lo que no poseemos aún, es decir, una forma de alcanzar y afianzar nuestra pseudoidentidad.

»El trabajo entendido como la consagración a una actividad que está en armonía con nuestras aptitudes, con nuestros impulsos más genuinos y nuestra vocación, en la que ponemos en juego lo que tenemos de único e irrepetible, en la que crecemos y somos creativos, es una fuente profunda de gozo y plenitud. Un trabajo así es tan satisfactorio en sí mismo que la preocupación por los resultados y por su reconocimiento pasa a ser necesariamente secundaria (...)»[4]

---

4. *La sabiduría recobrada*. Mónica Cavallé. Ed. Martínez Roca, 2005.

Pero en vez de disfrutar, la presión de los resultados nos hace olvidar nuestro yo auténtico y a las *personas* que hay detrás de cada puesto de trabajo. Nos sentimos tentados a utilizar el «recurso humano» como si fuera un comodín en un juego de mesa y si caemos en ese error, a la larga los resultados se verán afectados. ¿Qué podemos hacer para evitar esto en el ámbito del trabajo? Podemos adaptar el trabajo a las personas, en vez de intentar adaptar las personas al trabajo.

Creo que el siguiente ejemplo puede explicar el sentido de esta frase:

Juan Carlos se incorporó a una empresa de informática hace unos dos años. Le ficharon porque tenía una formación académica impecable, hablaba perfectamente español, inglés y francés, y era una persona trabajadora, responsable e inteligente.

Inicialmente entró en el departamento de Grandes Proyectos. Enseguida demostró unas habilidades especiales en cuanto a la capacidad de organización de los proyectos y a la comprensión técnica de las necesidades de los clientes. Pero en el departamento de Grandes Proyectos, se llevaba también la relación comercial con los clientes y, en ese aspecto, Juan Carlos no tenía ni las características necesarias, ni tampoco interés por desarrollarlas. Él era siempre correcto y educado, pero un poco distante y se quedaba más en lo que ponía en el contrato o en el pedido, que en descubrir las necesidades latentes de los clientes.

El área empezó a resentirse, porque aunque los clientes estaban muy satisfechos de la gestión de pro-

yectos que realizaba, no llegaban nuevos pedidos ni nuevas ideas de negocio. Su jefe habló con él y entre los dos decidieron que Juan Carlos estaría más satisfecho y haría una labor más productiva si se hacía cargo del departamento de Producto, donde se podrían aprovechar bien sus cualidades pero no tendría que hacer labor comercial.

Comenzó su tarea como director de Producto. Al cabo de tres meses captó exactamente lo que se esperaba de él y comenzó a dar resultados muy positivos.

Cuando Juan Carlos llevaba algo menos de un año en ese puesto, su jefe le dijo que quería que se ocupara del área de Relaciones Estratégicas.

A Juan Carlos no le gustó la idea; prefería quedarse en el área de Producto porque había estado ya en dos departamentos diferentes desde que se incorporó a la empresa y en ese momento era cuando empezaba a ver el fruto de su trabajo. Además, el tema comercial no le atraía en absoluto. Su jefe no tuvo en cuenta su opinión, le convenció de que era una gran oportunidad y le nombró director de Relaciones Estratégicas.

Menos de un año después, despidieron a Juan Carlos porque su labor como director de Relaciones Estratégicas no había sido adecuada. Perdieron a una persona muy valiosa.

¿Por qué sucedió esto? Porque se introdujo a Juan Carlos en una actividad alejada de sus habilidades, en vez de extraer el máximo beneficio de sus características innatas.

No es que las personas no puedan adaptarse a nuevos retos y mejorar sus habilidades, pero nunca se puede esperar un cambio drástico en su personalidad. Es mejor que alcance su máxima eficacia en aquello para lo que tiene habilidades únicas y, además, le produce satisfacción.

El trabajo y también nosotros como jefes deberíamos intentar ser como ese líquido «revelador» en el que se introducen los negativos de las fotografías y con cuya acción poco a poco aparecen las imágenes.

Intenta que cada persona desarrolle al máximo sus capacidades, sin pretender que todos tengan habilidades estándares. En la diversidad está la riqueza.

3

No todos los hijos, ni todos los empleados, son iguales

«La perfecta igualdad no existe sino entre los muertos.»

Pitágoras

La palabra *igualdad* a veces genera confusión porque se utiliza de forma errónea. Cuando hablamos de igualdad, nos solemos referir a la *no discriminación*. Pero «no discriminar», es decir, tener los mismos derechos y oportunidades, no significa que seamos iguales. Cada persona y, por tanto, cada niño y cada colaborador, es distinta y es única. Si nos dejamos llevar por la idea políticamente correcta de tratarles a todos por igual, les estaremos perjudicando a ellos y a nosotros mismos.

Cada persona tiene un carácter definido, unas motivaciones específicas, un físico particular y una capacidad diferente. Unos son tenaces y otros algo más perezosos y no deberíamos tratarles de la misma forma. A los tenaces habrá que dejarles margen de maniobra, mientras que los perezosos necesitan más seguimiento, ánimo y apoyo.

Unos son optimistas y otros pesimistas. A los primeros se les puede ayudar a mantener su optimismo, pero mostrándoles cómo poner los pies en la tierra, en cambio con los pesimistas hay que intentar que descubran el lado bueno de las cosas, acompañarles para que venzan sus miedos y darles mayor seguridad.

Y así, con cada rasgo de personalidad, con la fortaleza o debilidad física, con la talla, la altura, la vista... con todo.

Si basándonos en una supuesta justicia, no adecuamos nuestra forma de tratar a cada uno según sus necesidades, estaremos siendo injustos.

Cada niño o cada colaborador tiene unas características propias que le hacen único. Intentar tratar a todos por igual sólo puede traer consecuencias negativas.

Muchos padres tienen la convicción de que tratan a todos sus hijos por igual y de que eso es lo adecuado, pero en realidad no lo están haciendo así, aunque no sean conscientes de ello. Ser padre o jefe puede que tenga precisamente esa condición o esa responsabilidad, la de tratar a cada persona como necesita para que pueda crecer y evolucionar, aunque eso exija flexibilidad, pericia, observación y mucho tiempo.

Esto se podría aplicar en numerosos ejemplos concretos y deberíamos hacer diferencias en temas como, por ejemplo, la hora de acostarse: ¿por qué tratar igual al niño que necesita dormir muchas horas que al que requiere muchas menos? Probablemente porque es más fácil. Es cierto que el tratarles de manera diferente puede presentar conflictos, pero también es cierto que se puede hacer de tal manera que no suponga una injusticia y que ellos perciban que se les trata con igualdad, que como vimos al principio del capítulo supone que tengan los mismos derechos y oportunidades.

Y es lo que hacemos en realidad. Con el niño al que le cuesta más dormirse intentamos, como aconsejan los especialistas, ser más rigurosos en cuanto a las rutinas: que haga todas las noches lo mismo, que se bañe, se ponga el pijama, se lave los dientes y se acueste; de manera que en su mente se produzca la asociación entre esas rutinas y el sueño. En cambio, con un niño que se duerme sin problemas se puede ser más permisivo, ya que si un día se acuesta más tarde, esto no se convertirá en costumbre y al día siguiente el sueño le llegará a su hora y retomará su rutina sin esfuerzo.

De igual forma, si un niño tiene dificultades de aprendizaje no le exigimos unas calificaciones extraordinarias, en cambio a uno muy inteligente, si saca notas «sólo buenas», le insistimos en que tiene una mayor capacidad y que podría mejorarlas con un pequeño esfuerzo.

También motivamos a cada uno de nuestros hijos de forma específica: a unos, compartiendo tareas con ellos, a otros, dándoles más responsabilidad, dejándoles cocinar, con una charla exclusiva, etc. Porque cada uno reacciona de forma distinta a los estímulos que pueden ofrecer los padres.

Y esto mismo lo deberíamos aplicar en el entorno laboral.

¿Por qué exigimos que los empleados estén en la oficina un número interminable de horas cuando lo importante es si cumplen o no sus objetivos, independientemente de cuánto tarde cada uno en realizarlos?

Algunos trabajadores necesitan más apoyo, o un guía que les ayude a descubrir por dónde seguir o de qué forma pueden obtener mejores resultados hasta que se sienten suficientemente seguros, en cambio otros trabajan mejor teniendo mayor autonomía.

Si pretendemos que todos funcionen igual, ya sea con mayor apoyo o con mayor independencia, probablemente alguno de ellos no obtenga todo el rendimiento que es capaz de dar y estaremos desaprovechando unos recursos importantes.

También las motivaciones de cada persona del equipo son muy diferentes. Para unos lo más importante es formarse, tener cada vez más responsabilidad y un equipo sólido. Para otros, la clave es disponer de las herramientas necesarias para llevar a cabo su trabajo de la mejor manera posible y sentirse seguros. Otros necesitan un plan de carrera claro y un proyecto de crecimiento en la empresa...

Aunque el estar bien pagados tiene para todos un cierto peso, en ningún caso es lo *más* importante, y a través del reconocimiento de las particularidades de cada uno, tendremos un equipo más motivado y, por tanto, un mayor rendimiento.

Con estos ejemplos de aspectos en los que resulta favorable hacer diferencias, sin que por ello resulte injusto con respecto a los demás, se puede ver claramente que la fórmula a aplicar sería la siguiente:

Trata a cada uno según sus necesidades, pero que ellos sientan que les tratas a todos igual, que tienen los mismos derechos y oportunidades.

4

En cada fase de la vida las necesidades son diferentes

«Nada es permanente, a excepción del cambio.»

HERÁCLITO

No tratamos igual a un bebé que a un chico de catorce años. Cada momento de la vida requiere unos cuidados y una dedicación diferentes. En la primera fase de la vida de un niño, cuando es un bebé, necesita sentirse bien acogido en la familia, que le resuelvan sus necesidades físicas (comida, sueño, limpieza, salud) y emocionales (amor, palabras, música...) e, igual que intentamos por todos los medios que el bebé se sienta bien en ambos aspectos, el físico y el emocional, y que el ambiente en la familia sea de paz, pues el bebé se contagia de los nervios y de la inseguridad si los percibe[5], deberíamos hacer lo

---

5. *Saber educar. Guía para padres y profesores.* Bernabé Tierno y Antonio Escaja. Ediciones Temas de Hoy, 2003.

mismo con la persona que se acaba de incorporar al equipo, pero como veremos en el siguiente ejemplo, no siempre sucede así.

Sonia trabajaba en una multinacional del sector de servicios. La destinaron cinco años a otro país para llevar la dirección Comercial y de Marketing. Allí era responsable de un equipo directo de 30 personas y de otras 200 de las empresas subcontratistas. Además, gestionaba un presupuesto de varios millones de euros para llevar a cabo acciones comerciales.

Siempre había trabajado en función de resultados y éstos fueron muy buenos en los cinco años que estuvo fuera del país.

Cuando decidió regresar, habló con el departamento de Recursos Humanos y seis meses antes de que dejara su puesto, ya le habían encontrado otro que a ella le resultaba atractivo y en el que podría aplicar sus habilidades y conocimientos.

Antes de volver, se entrevistó varias veces con su nuevo jefe, se preparó a conciencia para asumir las nuevas responsabilidades y estudió en profundidad los datos del mercado en el que trabajaría. Cuando se incorporó al nuevo puesto, el día de su llegada, la sentaron en una mesa en medio del pasillo, le presentaron al resto del equipo (de momento no tendría ninguna persona a su cargo), le dieron una documentación para que se la leyera y le dijeron que ya encontrarían algo para que hiciera. Ella se llevó una desilusión enorme, puesto que había preparado su vuelta con varios meses y el puesto parecía interesante. Lo que ocurría en realidad es que ese puesto no se había creado aún y, no sólo nadie le había informado de ello, sino que su jefe no sabía muy bien por dónde quería que ella comenzara.

Para Sonia fue un golpe muy duro. Tardó varios meses en conseguir «crear» su puesto, ya que no había ningún tipo de orientación, ni decisión sobre la estrategia a seguir, ni su jefe disponía de tiempo para revisar sus propuestas. Aunque Sonia estuvo cerca de dos años en ese trabajo, en cuanto pudo, dejó la empresa. Llevaba más de siete años en ella y tenía muchas cualidades valiosas (experiencia, idiomas, responsabilidad, creatividad, empuje...), sin embargo, se fue.

En este ejemplo, al contrario de lo que hacemos con un hijo recién «llegado» a nuestra vida, vemos que a Sonia, en su primera fase de desarrollo en el nuevo puesto, no la acogieron, ni tuvieron en cuenta sus necesidades para realizar bien su trabajo (definición, objetivos y medios), ni se preocuparon de que su entorno fuera agradable.

Las primeras impresiones que un trabajador recibe cuando se incorpora a un área nueva son fundamentales para su futuro desarrollo dentro del equipo y, sobre todo, para que pueda dar el máximo de sí mismo y contribuir a la obtención de resultados.

Sigamos analizando las diferentes fases de la vida de los hijos. Durante la etapa de crecimiento, las necesidades cambian. Aunque siguen requiriendo de nuestros cuidados y protección, van surgiendo otros aspectos que se deben tener en cuenta: su necesidad de sentir que los aceptan y son parte del grupo, de explorar y aprender por sí mismos, de comunicarse y ser escuchados, de tener cada vez más independencia... No exigimos que un niño de cuatro años ordene su armario o ponga la mesa como lo haría un adulto, lo que hacemos es acompañarlo en ese aprendizaje para ir dejándole progresivamente un mayor nivel de autonomía según va adquiriendo habilidades.[6]

Lo mismo podríamos hacer con las personas que llevan poco tiempo en el equipo, es decir, durante su etapa de integración en el equipo, deberíamos seguir cuidando de su bienestar, manteniendo su sentimiento de pertenencia y fomentando su independencia gradualmente.

Por mucho que queramos que una persona dé resultados lo antes posible, si aceleramos esta fase, lo más probable es que la persona no esté preparada, ni conozca suficientemente el entorno y la empresa como para tomar decisiones acertadas y eso le puede llevar a equivocarse a menudo y por tanto, a desarrollar un sentimiento de *frustración*.

También cobra una gran importancia en esta fase la comunicación con los demás y la comprensión de los valores del equipo y de la empresa. Deberíamos fomentar la toma de decisiones; animarles cuando hagan un buen trabajo, aunque nosotros lo hubiéramos hecho de otra forma; marcarles unos objetivos claros y darles nuestra opinión sobre los resultados; presentarles aquellos nuevos retos que sean capaces de asumir y fomentar

---

6. Saber educar. *Guía para padres y profesores*. Bernabé Tierno y Antonio Escaja. Ediciones Temas de Hoy, 2003.

su autonomía evitando que se puedan sentir demasiado solos o «abandonados».

El único ser humano que nunca se equivoca, es el que nunca hace nada.

Un buen jefe debería delegar paulatinamente en las personas en función del tiempo que éstas llevan en su equipo y de su capacidad, pero sobre todo debe asumir que la persona se va a equivocar en algún momento. ¿Qué padres no aceptan de buen grado que un niño de dos años se ponga la camisa al revés? Es lo lógico, la habilidad se adquiere con la práctica, pero especialmente con los errores.

Lo importante es que el número de aciertos vaya creciendo. Volvamos al ámbito de la empresa. Si en un principio la persona toma la decisión adecuada en 6 de cada 10 veces y al cabo de unos meses este ratio ha subido a 8, podemos considerar que la persona está capacitada para ese puesto y podremos, en consecuencia, darle cada vez mayor autonomía, pero sin olvidarnos nunca de que aún está en periodo de crecimiento dentro de la empresa, que habrá que orientarle y ayudarle a que ese proceso sea de mejora.

Según va pasando el tiempo, la persona debería alcanzar un mayor nivel de independencia; para ello es muy importante que se sienta bien en el grupo y que vaya ampliando su círculo de acción a otras áreas de la empresa.

Y llegamos a la fase de la adolescencia, la etapa anterior a la adultez. Con los adolescentes, los padres son más propensos a exigirles una mayor responsabilidad y un comportamiento más maduro que a permitirles mayor libertad de decisión y a aceptarlos como adultos.

Lo mismo sucede con los empleados. Si se les exige una mayor responsabilidad, es necesario darles mucha más libertad y aceptar la forma en la que llevan a cabo sus responsabilidades, que no es algo que admitamos con frecuencia, ya que les damos la responsabilidad, pero queremos que hagan las cosas como las haríamos nosotros.

Algo muy importante a tener en cuenta es el final de esta fase. Una vez que nuestros hijos van dejando la adolescencia, y en el caso del empleado, cuando lleve mucho tiempo en el equipo, ¡hay que ayudarles a volar! (ya sea dentro o fuera de la empresa/familia). Como dice Gustavo Adolfo Bécquer, «cambiar de horizonte es provechoso a la salud y a la inteligencia».

En resumen, es positivo que los hijos y los empleados tengan márgenes cada vez mayores de responsabilidad, pero también de libertad, si es que nosotros somos capaces de dársela.

La educación o la gestión deben preparar a las personas para que tengan progresivamente mayor libertad. Pero ni los hijos ni los empleados aprenderán a ser libres mientras nos empeñemos en decidir por ellos.

5

Se aprende por imitación

«Más hombres grandes formó Sócrates
con sus costumbres que con sus lecciones.»

SÉNECA

No son nuestras palabras o consejos, sino nuestras acciones y actitudes las que transmiten los modelos de conducta. No podemos olvidar que la imitación es un poderoso recurso de aprendizaje social.

Recuerdo un día que estaba con mis hijos en casa; todos gritaban a la vez y no había forma de que bajaran el tono. Mi reacción fue aullar:

—¡¡QUE NO CHILLÉIS!! Si hubiera sido una película de dibujos animados, se habrían roto todos los cristales de la casa.

Desde luego que gritando no iba a conseguir que hablaran más bajo. A partir de ese momento intenté hablar en un tono más suave, incluso cuando había motivos para enfadarse y subir el tono, pero creo que ya era tarde. En mi casa se sigue hablando a gritos, y a veces les digo con guasa:

—¿Podéis gritar un poco más bajito?

Y es que las personas se guían por los valores que «observan» y no sólo por los que «escuchan» (aunque en el ejemplo ambos vayan juntos). Los valores se interiorizan mediante el mecanismo de la identificación.

Hay otra anécdota que merece la pena contar.

Un padre estaba de vacaciones con sus hijos y decidió llevarles a un museo. Cuando llegaron a la taquilla preguntó los precios. Costaba dos euros para los menores de 12 años y cinco euros para los demás. Pidió tres entradas para mayores y una de menores de edad. El hombre de la taquilla le miró sorprendido y le dijo: «Ese niño parece menor, podría haberle pedido una entrada de niño. No me habría dado cuenta».

Él respondió: «Seguro que usted no lo habría notado, pero mis hijos sí...»

Los hijos toman como modelo la imagen de los padres y la de las personas significativas de su entorno, pero también forman parte de ese modelo, la sociedad y su sistema de valores, los comportamientos de los demás, las expectativas generales... Debido a la necesidad de aceptación social, las personas admiten estos valores con facilidad, por ello es necesario prestar atención a los distintos medios que están a su alcance y que muchas veces les bombardean con propuestas con las que podemos no estar de acuerdo.

Debemos prestar una atención especial a lo que ven en televisión, ya que los niños que tienen entre nueve y doce años pasan en torno a cuatro horas diarias viendo la tele, y los fines de semana se superan las cinco o seis horas al día. Esto da una media de 1.500 horas al año; más de las que pasan en el colegio. Es conveniente, por tanto, supervisar los programas que ven, así como los juegos que utilizan, los sitios a los que acceden en Internet, etc., porque todo ello conforma el «ejemplo» que ellos van a seguir.

A través del ejemplo habría que estimularles a buscar valores profundos. Si nosotros vemos determinados programas, ¿cómo podemos decirles que ellos no lo hagan? Tenemos la excusa de que son programas para adultos, pero el criterio se les va formando en función de lo que ven en los demás y los «demás» más cercanos que tienen son sus padres.

En el entorno profesional funciona de forma parecida: las personas absorben a través de los modelos de conducta que observan. Veamos el caso concreto de una empresa:

Emilio era el director de operaciones en una empresa de seguridad. El presidente y dueño de la misma era muy estricto con los horarios, por ello cuando los dos salían a comer, Emilio estaba siempre preocupado por volver a la hora, ya que sería un contrasentido exigirles a sus colaboradores algo que él no hacía. La primera vez que Emilio le planteó a su jefe la necesidad de volver a tiempo, éste le dijo:

—No te confundas Emilio, una cosa es Blancanieves y otra muy distinta, los siete enanitos.

Los dos siguieron comiendo tranquilamente y llegaron más de hora y media tarde.

A partir de entonces, Emilio salió a comer con su jefe lo menos posible, ya que consideraba que si a sus colaboradores la empresa les exigía llegar a la hora, él también debía ser puntual.

Si nosotros no somos capaces de mantener una actitud determinada, difícilmente se la podremos exigir a los demás.

Otro ejemplo claro, también de la empresa de Emilio, es que en las reuniones de comunicación, se les transmitía a los empleados la necesidad de conciliar la vida personal y la profesional, se les aseguraba que para la empresa era muy importante la familia y que ellos se sintieran bien, pero a la hora de la verdad, siempre había alguna urgencia que hacía que los empleados se tuvieran que quedar hasta muy tarde. Esto provocaba que en cada reunión de comunicación, hubiera miradas y sonrisas de incredulidad y, aunque se contaran cosas que podían ser ciertas, pocas personas, quizá sólo los nuevos, confiaban en lo que allí se decía. Porque una cosa es lo que se dice o lo que se intenta aparentar y otra lo que realmente se percibe y se contagia.

Como dice el refranero español, las palabras convencen, pero el ejemplo arrastra, por ello, el verdadero líder es el que da ejemplo con sus actos.

6

Fomenta la autoestima a través del afecto incondicional

«El reconocimiento es la memoria del corazón.»

ARÍSTENES

Si deseamos reforzar la autoestima de las personas que dependen de nosotros, es necesaria una actitud de aceptación y de estima incondicional. El problema es que todos admitimos mejor lo que se parece a nuestra forma de pensar y tendemos a rechazar lo que es diferente.

Para que una persona se desarrolle plenamente es necesario no tener una actitud crítica constante, sino ayudarle a darse cuenta de su valor y fomentar su autoestima. Y para ello, es importante que tenga la certeza de ser estimado incondicionalmente y que sienta que es útil y capaz.

Pongamos el ejemplo de las notas de los hijos. Como es lógico, los padres nos alegramos cuando los resultados son buenos y nos disgustamos cuando son malos, pero al hijo debemos transmitirle la certeza de que le vamos a seguir queriendo igual. Hay que aceptarlo como es, con toda su realidad: actual y potencial. De esa manera, aunque cometa fallos, sabrá aceptarlos responsablemente y podrá seguir confiando en sí mismo y en los demás.

Aplicado esto en el ámbito laboral, los empleados se tienen que sentir apoyados y apreciados incondicionalmente, no sólo teniendo en cuenta sus capacidades actuales, sino todo su potencial: aunque hoy se equivoquen o no obtengan los resultados esperados, con una correcta guía conseguirán sacar lo mejor de ellos mismos sin perder la confianza.

Como dijo Tom Watson, directivo de IBM: «El buen juicio se adquiere con la experiencia. La experiencia se adquiere con el mal juicio».

Es fácil no cometer errores si no se toman decisiones, pero no tomar decisiones implica que no se progresa.

Si conseguimos, a través del cariño, que el nivel de autoestima de los hijos sea alto, eso les impulsará a ser independientes, ayudará a que expresen con más naturalidad sus sentimientos, podrán asumir más fácilmente sus responsabilidades y tendrán el optimismo necesario para afrontar nuevas tareas.

Esto, que en el plano de la familia parece claro, lo podemos aplicar también en el laboral. Si estamos constantemente encima de lo que hacen nuestros colaboradores, más pendientes de las horas que pasan en la oficina que de sus resultados, tendremos autómatas que intentarán hacer las cosas «a nuestra manera». En cambio, si eliminamos esa cultura del «presentismo», les damos responsabilidades claras y la confianza de que son capaces de sacarlas adelante y sienten nuestro apoyo y afecto, alimentaremos su autoestima, su capacidad de tomar decisiones y mejoraremos los resultados del equipo.

Sin embargo, un nivel de autoestima bajo provoca una enorme desconfianza en las propias capacidades, lleva a desentenderse de las responsabilidades y debilita el carácter, haciendo que la persona sea muy influenciable ante la opinión de los demás.

¿Cómo se fomenta que una persona tenga un nivel alto de autoestima y que sea capaz de hacer las cosas de forma autónoma y con buenos resultados?

— Desarrollando su capacidad crítica: que piense por sí mismo, aunque no piense como nosotros.

— Dejando que las cosas que sabemos que es capaz de hacer, las haga a su manera.

— Facilitando la expresión de sus opiniones y sentimientos.

— Reconociendo sus aciertos.

— En definitiva, aceptándole como es.

Hay personas que no se sienten capaces, porque nunca han creído en sí mismas y no se han sentido apreciadas. Solo hay que darles la oportunidad.

Para provocar esa situación, hay que darles la posibilidad de ejercitar sus habilidades y reconocer sus logros, para que continúen aprendiendo y crean cada vez más en su capacidad.

Los especialistas en el tema consideran que con los hijos da buen resultado:

— Intentar que terminen todas las tareas que empiecen.

— Dejarles elegir parte de las cosas que deban hacer.

— Fomentar el que soliciten los medios adecuados para llevarlas a cabo.

— Ayudarles a aceptar las consecuencias de sus acciones, sin que echen la culpa de sus fracasos a los demás.

— Asignarles responsabilidades claras.

— No darles tareas que excedan su capacidad, sino que éstas deben estar en función de su nivel de competencia.

— Que se acostumbren a medir sus fuerzas antes de hacer algo, para que no se echen atrás cuando hayan comenzado.

¿No sería muy parecido, salvando las distancias, lo que deberíamos hacer con las personas de nuestro equipo? ¿Cuántas tareas o responsabilidades se pierden en la noche de los tiempos? ¿Cuántas veces no asignamos claramente las responsabilidades y nos encontramos con que varias personas, o lo que es peor, nadie, está realizándolas? ¿No hemos asignado alguna vez una tarea o un objetivo a una persona que todavía no tenía la formación suficiente para llevarla a cabo? ¿No hemos sido alguna vez intransigentes con los errores de nuestros colaboradores? ¿Les hacemos sentirse aceptados pase lo que pase?

Quizás un ejemplo ayude a explicar esto:

José Ramón trabajaba en una gran cadena de distribución, y tenía que hacer los pedidos de langostinos congelados para la promoción de Navidad. Llevaba poco tiempo en el puesto, ya que antes había trabajado en el área de perfumería. Realizó las previsiones en función de las ventas de otros años y dado que el año anterior, con los langostinos a un precio mayor y sin apoyo televisivo, se habían quedado sin mercancía a mitad de la campaña, pidió un 35% más de cajas. Cuando comenzó la campaña, se vio claramente que se estaba vendiendo menos que el año anterior, al parecer porque los clientes se estaban decantando por un langostino a granel que estaba a muy buen precio. José Ramón no había tenido en cuenta los precios de ese producto. Al principio, esperó que pasara un tiempo a ver si cambiaba la tendencia, pero llegó un momento en que estuvo claro que no sería así. Cuando habló con su jefe del tema y le dijo que calculaba que iban a sobrar al menos tres camiones completos y que eso le costaría mucho a la empresa por el almacenamiento en frío de la mercancía durante varios meses, hasta que consiguieran sacar todo el producto, estaba compungido, pensaba que le iban a despedir y casi no le salían las palabras. Pero para su asombro, su jefe le dijo que en muchas ocasiones había tomado decisiones muy acertadas y que se trataba sólo de un error por falta de experiencia. El jefe estaba muy preocupado porque era algo grave, pero no le acusaba de incompetencia ni de nada por el estilo, sino que le animó, con mucho afecto, a buscar entre los dos algunas soluciones que pudieran paliar la magnitud del «pequeño desastre»:

— Hablaron con el proveedor de langostinos y retrasaron la entrega de la mercancía pendiente de recibir.

— Incluyeron el producto en la campaña de «Rebajas de enero» aunque no estaba previsto.

— *Montaron un concurso entre las tiendas para fomentar la venta en lo que quedaba de campaña.*

— *Y explicaron la situación a los superiores, con todos los datos, por si a ellos se les ocurría alguna acción adicional.*

José Ramón se implicó a fondo en la solución del error. Le preparó a su jefe la documentación necesaria, con todos los datos de las ventas de años anteriores, los pedidos pendientes, el plan de acción... Hizo todo lo que estuvo en su mano para renegociar con el proveedor, animar a las tiendas, etc., y solicitó la participación de su jefe en aquello que excedía su capacidad.

Su jefe en ningún momento tuvo una actitud recriminatoria y asumió el error como suyo ante los directores. El coste del mismo fue elevado, pero gracias a una actitud de confianza y afecto, el impacto fue mucho menor del esperado.

José Ramón continuó trabajando con ese mismo jefe varios años. Fue gradualmente más capaz de asumir responsabilidades y de dar la cara cuando se producían errores y, al poco tiempo, su jefe le nombró responsable de área.

Aunque José Ramón lleva tiempo en otra empresa, siempre dice que aquél fue, sin duda, su mejor jefe y que gracias a él ha podido tener una carrera brillante. Hoy siguen manteniendo una excelente relación.

El refuerzo positivo resulta más eficaz que la censura o la crítica.

7

¿Autoridad o consenso?

«La razón es la primera autoridad, y la autoridad es la última razón.»

BONALD

Uno de los factores cruciales en la educación de los hijos, y de las tareas más difíciles de realizar, consiste en mostrarles las pautas necesarias para que puedan vivir en sociedad y que aprendan que los derechos de uno terminan donde empiezan los derechos de otro. Es por ello que los padres tienen la responsabilidad de enseñarles límites a sus hijos; pero deberíamos reflexionar sobre dichos límites y, además, ser capaces de mover esos límites en función de la edad y de la capacidad de cada hijo.

Muchas veces adoptamos los límites que nuestros padres nos transmitieron, pero no es conveniente aceptarlos sin más, es necesario establecerlos cuidadosamente, con sentido común y adaptándolos a los tiempos actuales.

Recuerdo que mi madre nos vestía a los cuatro hermanos exactamente iguales, ¡hasta los 12 años! Si hoy en día uno intenta decirle a su hija (los varones suelen ser más dóciles en eso, aunque no todos) de diez años que tiene que ir con un vestido de nido de abeja y florecitas, probablemente reciba un bufido por respuesta. Es un ejemplo simple, pero es cierto que ahora los niños tienen una mayor autonomía y criterio a la hora de elegir su vestuario y, como eso, hay muchas cosas que han cambiado y que se entienden de forma distinta actualmente, pero sigue siendo necesario que los niños entiendan que no pueden hacer lo que quieren en cada momento y es importante que aprendan normas de convivencia y actitudes que les ayuden a crecer con la conciencia de que se deben cuidar a sí mismos y a los demás.

Esto no lo comprendieron unos buenos amigos míos que, en mi opinión, confundieron la adaptación a los tiempos actuales con la falta de normas para la convivencia y la salud del niño. Muchos viernes por la noche íbamos a tomar algo a su casa, ya que su hija era pequeña y no podían salir. En esas noches, entre las copas, el humo y las charlas sobre cualquier tema, la niña daba saltos por los sofás hasta la una y las dos de la mañana. Cuando alguno le decía a María: «¿No tendría esta niña que acostarse?», ella respondía que era imposible, que su hija no se dormía a una hora determinada. María ha tenido problemas serios con su hija cuando se ha hecho mayor, tanto escolares como de conducta. No le pusieron límites.

A veces resulta difícil saber si nos estamos pasando o nos estamos quedando cortos. Una buena forma de estar seguros, es analizando si disponemos de argumentos de peso a la hora de explicar las normas a nuestros hijos, es decir, si tenemos razón. Si nuestra argumentación es sólida y coherente, probablemente estemos en el camino adecuado, si por el contrario tenemos que recurrir a menudo a la frase «porque lo digo yo», es posible que estemos equivocados y que debamos «mover» ese límite.

Según Bernabé Tierno: «En los primeros años, el niño vive en un ambiente de obediencia porque necesita aprender las normas de conducta y convivencia sociales de una manera gradual; pero en la preadolescencia se ha de propiciar la autodeterminación, la capacidad de decidir por sí mismo, de emitir juicios críticos, de equivocarse y corregirse tras los propios errores... No obran de manera inteligente y razonable los padres que someten a sus hijos, hasta bien entrada la adolescencia, a una obediencia y sumisión sin condiciones... El logro de la independencia y autonomía se consigue y aprende por etapas».

Si los padres son demasiado autoritarios, los hijos pueden tener serias dificultades para adquirir una personalidad firme y decidida. Por ello, los expertos aconsejan que los niños participen en el establecimiento de los límites.[7] Un ejemplo que puede servir para ilustrar este concepto es el siguiente: si a un niño le explicas que es sano que duerma un determinado número de horas y se calcula con él la hora a la que debe irse a la cama en función de la hora a la que tenga que levantarse, será el reloj el que marque ese momento y no el padre. Los niños aceptan eso fácil-

---

7. *Los problemas de los hijos*. Bernabé Tierno. Ediciones San Pablo, 2004.

mente y suelen mostrarse contentos con los límites que tienen sentido. En cambio, hay niños a los que les dejan hacer lo que quieren y ellos mismos se inventan castigos para sentirse (ante los demás) protegidos y queridos. Los niños necesitan esa seguridad del cuidado paternal unida con la capacidad de tomar decisiones, de ser más libres y, para conseguirlo, no se debe ser rígido.

Por ejemplo, si un hijo está en medio de la partida de un videojuego o viendo su serie favorita y le decimos que venga ¡inmediatamente! a hacer algo, para él es una orden arbitraria, un capricho, ya que no entiende por qué no se puede hacer diez minutos después, pero no tiene elección. Habría que ponerse en el lugar del niño y mostrar con él el mismo respeto que exigimos nosotros. ¿No les decimos que guarden silencio o esperen para que les ayudemos con sus tareas hasta que termine el telediario? No deberíamos tratarles como objetos de los que podemos disponer a nuestro antojo y hay que diferenciar entre Auctoritas, que es el «saber» socialmente reconocido y Potestas, «poder» socialmente reconocido. El poder no se «tiene», se «obtiene» por méritos propios, lo que lo convierte en autoridad.

La disciplina no significa, por tanto, que obedezcan sin cuestionarse, sino mostrarles el «saber» para que desarrollen las habilidades que les permitan conseguir sus propias metas. No se trata de dejarles hacer lo que quieran, sino de enseñarles a administrar la libertad con responsabilidad y criterio. Por eso, la creatividad y la rebeldía son valores a fomentar y habrá que aceptar las aportaciones de todos para tomar las decisiones. Esto significa que, tanto en la familia como en el trabajo (lo que veremos a continuación), el liderazgo real es un espacio compartido.

~~~~~~

La verdadera autoridad en una compañía la deberían tener los objetivos. Sin unos objetivos claros, difícilmente puede alguien hacer un buen trabajo

~~~~~~

En la empresa, dado que nuestros colaboradores son adultos, tienen, todavía más, su propio criterio y están acostumbrados a adaptarse a las diferentes normas sociales y laborales. Por eso es importantísimo analizar si en la empresa ejercemos una autoridad que no está basada en la razón.

Cada vez es mayor la tendencia a trabajar por objetivos, incluso en muchas empresas se está aplicando con un éxito espectacular el ROWE (Results Only Work Environment)[8], es decir, el trabajo basado «únicamente» en resultados.

Pero lamentablemente, aunque es cierto que los organigramas de las empresas son algo más planos, todavía hay una importante distancia psicológica entre jefe y subordinado, una delegación real escasa, una comunicación demasiado jerarquizada y poco debate en la toma de decisiones.

En los cursos de Dirección de Proyectos que imparto en las empresas, suelo hacer un juego sobre el trabajo en equi-

---

8. *Sin horarios. Una forma distinta de trabajar basada únicamente en resultados.* Cali Ressler y Jody Thomson. Empresa Activa de Ediciones Urano, 2009.

po que ayuda a analizar la toma de decisiones. Hay un gráfico que me gusta mostrar a los participantes, ya que ilustra la mayor o menor implicación de los miembros del equipo con una decisión, en función de cómo se toma ésta:

MÉTODOS DE TOMA DE DECISIÓN EN EQUIPOS

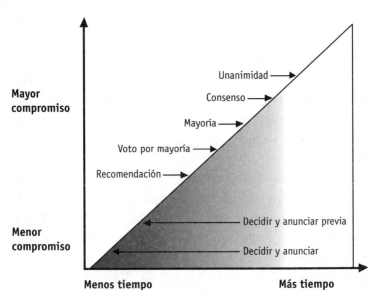

Como muestra este gráfico, cuanto menos participa el equipo en una decisión (el jefe ordena y manda), menor grado de compromiso existe con la misma, pero se tarda (obviamente) menos tiempo en tomarla. Y cuanto mayor grado de consenso buscamos, hay una mayor implicación por parte de todos en la decisión tomada, pero requiere más tiempo.

En la empresa, hay decisiones que no se pueden tomar por consenso, pero muchas menos de las que pensamos. Un ejemplo de ello es el de Mercadona. Cuando se planteó internamente la cuestión de cuántos domingos abrir al año, se les preguntó a los empleados su opinión. ¿Qué creéis que respondieron? Dijeron (casi por unanimidad) que ninguno. ¿Cuántos domingos abre Mercadona al año? Ninguno. ¿Y por qué es, entonces, una de las cadenas de distribución con un mayor crecimiento y con un mayor grado de satisfacción entre sus empleados?[9] Por muchos factores de su gestión, pero entre otros, porque es una empresa cuya política de Recursos Humanos es apostar por la máxima de que una plantilla satisfecha ofrece un trato más agradable. Y una forma de mantener una plantilla satisfecha, aparte de los beneficios sociales que tienen los empleados[10], es hacerles partícipes de muchas de las decisiones que se toman, con lo cual hay una mayor implicación y satisfacción de los trabajadores.

Pero en muchas otras empresas no sucede así. No sólo no se les da a los trabajadores la posibilidad de participar en la toma de decisiones, sino que además, los colaboradores tratan de adivinar lo que piensa el jefe para proponerlo, en vez de pensar por ellos mismos y proponer sus ideas, aunque éstas sean conflictivas.

«Hablamos mucho de creatividad e innovación, nos llenamos la boca de buenas intenciones cantando a la libertad y al espíritu emprendedor, pero es preocupante observar cómo se inhibe y retira el descaro, la heterodo-

---

9. «Mercadona, líder a las claras». Miguel Olivares. *El País*, 14/05/2006.

10. El caso Mercadona se estudia en muchos MBA, ya que no hacen publicidad, la gestión de sus recursos humanos es ejemplar y siguen la política de «Siempre Precios Bajos». Más información en su web: www.mercadona.es

xia, la intuición, esa idea genial, feliz y sorprendente, ante la presencia del jefe. Su figura revolotea ubicua por la sala, contaminando el ambiente de un exceso de cautela, tacto y obediencia.»[11]

Seguimos exigiendo que se respete la autoridad, queremos gente «obediente» (al igual que veíamos con los hijos), que no discuta, que acepte nuestro criterio. Pero si basamos las relaciones en la responsabilidad, obtendremos mejores resultados que si aplicamos un control férreo.

El jefe tiene demasiado protagonismo y seguimos utilizando en exceso la cantidad de tiempo físico en la empresa como baremo de evaluación.

11. *No soy superman.* Santiago Álvarez de Mon Pan de Soraluce. *Prentice Hall-Financial Times*, 2007.

8

La importancia del sí
y del no

«El no y el sí son breves de decir pero piden pensar mucho.»

BALTASAR GRACIÁN

A todos nos gusta más la gente que nos dice «sí», nos sentimos mejor cuando estamos rodeados de personas optimistas, de personas capaces de aceptar retos y de llevarlos a cabo, y en la medida de lo posible, es lo que debemos inculcar a nuestros hijos y a las personas que trabajan con nosotros. Pero ser una persona positiva y responsable no quiere decir que se deba aceptar cualquier petición o cualquier opinión. Cuando nos enfrentamos a alguna solicitud o imposición de la que no estamos convencidos, debemos reflexionar sobre nuestro propio criterio y, si es necesario, debemos saber decir que no. Asimismo debemos enseñar a los que dependen de nosotros a hacerlo, incluso cuando nos lo dicen a nosotros. Como dice Gabriel García Márquez «lo más importante que aprendí a hacer después de los cuarenta años fue a decir "no", cuando es no».

En cambio, seguimos insistiendo en que nuestros hijos obedezcan sin rechistar, pero saber negarse es algo muy importante y especialmente en el caso de los niños, ya que más adelante se enfrentarán a situaciones incómodas o a temas graves como las drogas y mantener su propio criterio será clave para su desarrollo humano. Y una forma de aprender, es diciendo que no a sus padres cuando no están de acuerdo con algo.

Contradecir a los padres es de las primeras cosas que aprende un bebé y los niños lo utilizan para afirmarse. Luego, con los años, esta necesidad va disminuyendo y recobra de nuevo fuerza en la adolescencia. Cuando ya son jóvenes y tienen mayor autonomía les resulta más difícil decir «no», ya que para ellos es importante evitar conflictos, que haya buen ambiente en su entorno y caer bien a los demás. Pero si no les enseñamos a manifestar su desacuerdo y a hacer lo que consideran apropiado, al final podrían anteponer las opiniones o deseos de los demás a los suyos, y esto podría causarles problemas de autoestima y seguridad, convirtiéndoles en seres volubles a expensas de los otros.

Lo mismo sucede con los colaboradores. Si no aceptamos la negativa de un trabajador o su desacuerdo con nuestro planteamiento, es muy probable que en nuestro equipo no haya discusión real sobre los temas, ni un contraste de peso a nuestras ideas.

Como dice Pablo Juantegui, vicepresidente del Consejo de Administración de Sanitas y managing director de International Businesses EMEA y América Latina del Grupo Bupa: «Siempre me enseñaron a que en cada momento dijera lo que pensaba; de la mejor forma posible y adaptándolo a las circunstancias, pero que en ningún caso me callara. Ahora estoy en el Consejo de Bupa, soy el único no inglés, en una compañía que tiene las tres cuartas partes de su negocio fuera del Reino Unido y aunque al principio yo era una especie de *freaky* porque la cultura anglosajona es tremendamente *nice*, y yo, cuando algo me parecía mal, lo decía, ahora, después de algo más de un año, mi jefe me dice que está entusiasmado con mi presencia en el Consejo, porque hace que los temas se traten a fondo; antes se pasaba por encima. Hay mucho más *challenge* del que había antes. Pasar de *freaky* a *challenger*, da mucha satisfacción.»[12]

Aunque deberíamos decir lo que de verdad pensamos, es frecuente tener una actitud complaciente, porque cuando llevamos la contraria o no aceptamos tareas que consideramos que no nos corresponden, eso no les gusta a los demás; pero estar disponible para todo y para todos disminuye nuestra autoestima, nos hace vulnerables al chantaje emocional y nos dificulta el mantener unas relaciones sanas y equilibradas, en las que podamos decir «sí» o «no» en función de nuestras convicciones profundas.

Sin embargo, es importante distinguir entre el no positivo y el no negativo. Suena paradójico, pero creo que se puede explicar fácilmente con un ejemplo.

---

12. *Rodéate de gente mejor que tú*. Natalia Gómez del Pozuelo. Directivos Plus, 2009.

Mi prima siempre me dice que ella abusa del «no». Cada vez que su hija le pregunta si puede hacer algo, ella inicialmente dice que no, luego se lo piensa y a veces rectifica. Es consciente de su actitud y del motivo: la niña es hija única y nació prematura, por lo que sus primeros meses de vida fueron muy críticos y, desde entonces, subyace el miedo a que le pase algo. Pero negándole la capacidad de medir por sí misma el riesgo, no la ayuda a tener criterio propio y a enfrentarse a situaciones difíciles.

Ese «no» constante y por cualquier cosa, es el no negativo.

Con los empleados es algo más sutil, ya que no solemos decir que no a una propuesta o a algún trabajo hecho por ellos, sino que le sacamos siempre algún defecto, aunque no sea importante ni vaya a tener incidencia real en el negocio. Podemos ilustrar este punto con otro comentario de Pablo Juantegui: «Me encanta poder felicitar a alguien, pero tengo tendencia a enfocarme en el defecto, detectar lo que ha salido mal de una cosa que ha salido espectacular. «Qué bien ha salido todo, pero qué pena que...» Cambiar eso es un reto que tengo por delante.»[13]

Si no somos capaces de aceptar objetivamente el criterio de nuestro equipo, al final tendremos colaboradores que no harán nada sin nuestra aprobación.

Por otra parte, un ejemplo del «no» positivo sería el siguiente:

---

13. *Rodéate de gente mejor que tú*. Natalia Gómez del Pozuelo. Directivos Plus, 2009.

José Miguel es el director de Pre-ventas de una empresa de software. Hace poco me contó que en una semana les llegaron tres pliegos de condiciones a los que debían responder y era imposible hacerlos todos con un nivel de calidad suficiente, aunque no durmieran ni un día. Él y su equipo analizaron los tres pliegos y decidieron dejar de responder al que menos probabilidades tenían de ganar.

El jefe de José Miguel insistió mucho en que respondieran a los tres, pero él se mantuvo firme y se negó en rotundo. Se presentaron a dos con ofertas de gran calidad, bien estudiadas y ajustadas en precio, y ganaron ambos. Al tercero le mandaron una carta explicando que, debido a una sobrecarga de trabajo, les resultaba imposible hacer la oferta antes de diez días, pero que consideraban que estaban preparados para dar una buena solución técnica y una oferta comercial atractiva si ampliaban el plazo de respuesta. La empresa cliente amplió el plazo y José Miguel y su equipo tuvieron tiempo de responder al pliego con calidad suficiente. También ganaron ese proyecto. Probablemente si José Miguel no le hubiera dicho que no a su jefe y hubieran ido a por los tres al mismo tiempo, tal vez los habrían perdido todos.

~~~~~~

Cuando alguien nos pide algo, es conveniente tomarnos el tiempo de valorar si eso encaja con nuestras prioridades y tomar una decisión objetiva.

~~~~~~

Las personas demasiado complacientes suelen estar agotadas o frustradas. Aprender a decir que no a determinadas demandas es una forma de respetarse y de no añadir estrés a una vida de por sí muy cargada. A veces nos echamos sobre la espalda muchas obligaciones para las que no tenemos capacidad y que nos dejan exhaustos. Queremos llegar a todo, como si fuéramos omnipotentes.

Pero ¿cómo podemos decir «no» sin que suponga un conflicto?

Lo primero es no sentirnos culpables si debemos negarnos a alguna petición. Dar prioridad a nuestras necesidades, opiniones y deseos no tiene por qué ser una manifestación de egoísmo, sino de responsabilidad, autoestima y madurez. Nuestras negativas no sólo no estropean nuestras relaciones con los demás, sino que muchas veces las mejoran, ya que demuestran sinceridad y respeto (por los demás y por nosotros mismos).

Para que no suponga un conflicto, es conveniente evitar utilizar un «no» a secas, ya que resulta demasiado brusco.

Es singular lo bien que lo hace Groucho Marx al decir: «No puedo decir que no estoy en desacuerdo contigo». Pero si no tenemos su rapidez mental, lo mejor sería exponer nuestra postura con argumentos convincentes, con firmeza pero intentando no herir al otro y proponiendo alternativas como: otra forma de hacer lo que desea nuestro interlocutor, aplazar en el tiempo su solicitud, informarle de otras personas que podrían llevarla a cabo, etc.

Habrá que tener también en cuenta la cultura de la

persona a la que se lo decimos, ya que hay países en los que el «no» se utiliza de manera diferente y, en algunos, son los matices del «sí» los que determinan el grado de negación. Un «ahorita» en México puede querer decir lo mismo que un «imposible» en España. En Japón y en China también hacen un uso muy limitado del «no», pero no por ello acceden a lo que se está planteando, es sólo una forma distinta de negarse. Si debemos trabajar con personas de otras culturas, es conveniente aprender sus costumbres en cuanto al uso del «no».

Todos (nuestros hijos, nuestros colaboradores y nosotros mismos) debemos decidir muchas veces entre el sí y el no. Si somos capaces de tomar una opción o la otra en función de nuestros propios criterios, seremos personas más libres y afianzaremos nuestra personalidad. Si dejamos que los demás nos impongan el suyo, nos podemos convertir en títeres.

9

La comunicación es el único camino al entendimiento

«La libre comunicación de los pensamientos y las opiniones es uno de los derechos más apreciados por el hombre.»

François de la Rochefoucauld

Tanto en la familia como en la empresa, establecer un ambiente que facilite la comunicación y el diálogo es una base muy sólida para facilitar la mejora en todo lo que hemos visto anteriormente: las fases del aprendizaje, el ejemplo, la autoestima, la autoridad...

Para crear ese ambiente, debemos entender que **dialogar no supone sólo hablar sino sobre todo escuchar.**

En las clases de Comunicación que imparto en la universidad, siempre comienzo hablando de la diferencia entre información y comunicación. En el primer caso, se trata de un mensaje que de forma unívoca manda un emisor a un receptor. Esta información se convierte en comunicación cuando existe retroalimentación *(feed-*

back), cuando el mensaje provoca algo en el receptor y éste intercambia dicha reacción con el emisor. Pero muchas veces damos nuestras opiniones sin escuchar las de los demás y, si eso sucede, la otra persona se dará cuenta de nuestra indiferencia y ya no estará motivada por la conversación. Cuando esto se produce, suele ser porque creemos que el otro no tiene nada que enseñarnos o porque no estamos dispuestos a cambiar nuestras opiniones.

La mayoría escuchamos poco a nuestros hijos y a nuestros colaboradores y, cuando lo hacemos, a menudo es para informarnos sobre hechos o comportamientos, o para imponer nuestros criterios; creemos que con un discurso podemos cambiar a los demás En cambio, si lo que establecemos es un verdadero diálogo, conoceremos mejor a los demás: sus opiniones, sus inquietudes; y ellos serán más capaces de expresar sus sentimientos.

Muchas veces, cuando existe algún problema, si las personas tienen la oportunidad de abrirse y charlar sobre ello, simplemente con contarlo encuentran por sí mismas lo que deben hacer. Exteriorizar lo que a uno le pasa ayuda a desahogarse y a aclararse uno mismo. Si además de escuchar con atención, somos capaces de hacer algún comentario acertado, es probable que la otra persona lo retenga y le sirva de ayuda más adelante.

Como dice Zenón de Citio, «tenemos dos orejas y una sola boca, justamente, para escuchar más y hablar menos» y, por tanto, para que se dé un verdadero diálogo debe existir la réplica; la predisposición a comprender el argumento del otro y a admitir que puede no coincidir con el nuestro aunque sea igualmente válido e incluso más. Si se dan diferentes planos de autoridad en los que a una de las partes se le presupone la razón, no habrá diálogo. Nuestra comunicación, si es bidireccional será diálogo, pero si nuestra opinión es la que marca y define la comunicación, las relaciones con los demás pueden convertirse en una fuente de discusiones y problemas. Debemos estar dispuestos a dejarnos transformar por las relaciones. La escucha real se basa en el convencimiento profundo y sincero de que las opiniones del otro son igual de importantes que la nuestra.

La comunicación nos sirve para establecer contacto con las personas, para dar o recibir información, para expresar o comprender lo que pensamos, para transmitir nuestros sentimientos, pensamientos, ideas o experiencias y todo ello nos ayuda a reforzar el vínculo del afecto. Cuando existe buena comunicación en una familia o en el departamento de una empresa, en muchos casos eso va unido al compañerismo, a la complicidad y a un ambiente de unión y afecto. Sin embargo, crear ese clima de comunicación no es una tarea fácil.

Un ejemplo que ilustra lo que la falta de comunicación puede causar es el de Óscar, un chico de 20 años, generalmente responsable. Sus padres no habían tenido ningún problema importante con él. Una noche estaba con sus amigos en el aparcamiento de una discoteca, le pidió la moto a uno de ellos y se dio un par de vueltas por allí cerca, con tan mala suerte que le paró la policía, le hicieron soplar y por una décima, dio positivo. Con un agravante: no tenía carnet. Le dijeron que al día siguiente debía ir al juzgado y, en vez de hablar con sus padres, decidió ir solo. Aceptó todos los cargos y le condenaron a una multa muy elevada. Pidió el pago a plazos y se puso a trabajar los fines de semana para poder pagarla sin decir nada a sus padres. Cuando meses más tarde se fue a examinar del carnet de conducir, se dio cuenta de que no podía hacer el examen, ya que también estaba condenado a dos años sin carnet. Ante eso, no tuvo más remedio que contárselo a sus padres. Ellos, como es lógico, se disgustaron mucho, pero no por el hecho en sí, sino por la falta de confianza ya que siempre habían intentado tener una comunicación fluida con él y se sentían decepcionados. Se informaron con los abogados, pero ya no se podía hacer nada puesto que la sentencia era firme. Si Óscar hubiera pedido ayuda a sus padres en el momento, es muy probable que le hubieran bajado la décima que dio positivo, ahorrándose así los antecedentes penales, y todo hubiera quedado en una simple multa, de muchísima menor cuantía.

Y es que, aunque tratemos de hacer todo lo posible por fomentar la comunicación, no siempre tenemos los resultados esperados. Por ello, es bueno repasar las barreras de la comunicación, así como los consejos para mejorarla.

Las barreras de la comunicación

Hay muchos aspectos que suponen barreras en la comunicación, como por ejemplo las barreras físicas (distancia, ruido, idioma, discapacidades, etc.), pero vamos a centrarnos más en los que tienen que ver con nuestra actitud y en los que tenemos un mayor margen de maniobra:

La falta de oportunidad. Hay que tener en cuenta que muchas veces la televisión, los horarios demasiado cargados, el cansancio... son obstáculos para la comunicación familiar. Y en la empresa lo son la falta de tiempo, las reuniones infinitas, los despachos cerrados...

Si la otra persona tiene prisa, está de mal humor o no se encuentra bien, sería bueno darse cuenta de que no estamos ante la mejor oportunidad para entablar un verdadero diálogo.

Nuestra actitud a la hora de comunicarnos. Deberíamos analizar algunos casos en los que con nuestra actitud estamos poniendo una barrera: si somos prepotentes o damos la sensación de que lo sabemos todo, si tendemos a dar consejos que no nos han pedido, si hacemos un montón de preguntas con las que invadimos la intimidad del otro, si somos demasiado susceptibles y nos molestamos por cualquier comentario, si tenemos poco tacto y solemos hacer daño al otro con nuestros comentarios, si nuestra tendencia es a «soltar discursos» o a decirles frases como: «lo que tienes que hacer es...» o «cuando tengas mi edad entenderás»...

¿Te has sentido reconocido en alguno de estos supuestos? En ese caso, piensa que simplemente con alguna de esas actitudes estás levantando muros y te resultará mucho más complicado comprender a la otra persona y que ésta tenga ganas de comunicarse contigo.

Las diferencias generacionales. Es evidente que los tiempos cambian y que la forma de pensar de las distintas generaciones es distinta. Voy a ilustrar esto con otro correo electrónico de esos que dan vueltas por Internet porque creo que es muy significativo:

El médico de familia inglés, Ronald Gibson, comenzó una conferencia sobre conflicto generacional citando las siguientes frases:

1) «A nuestra juventud le gusta el lujo y es maleducada, no hace caso a las autoridades y no tiene el menor respeto por los de mayor edad.»

2) «Ya no tengo ninguna esperanza en el futuro de nuestro país si la juventud de hoy toma mañana el poder, porque esa juventud es insoportable y desenfrenada.»

3) «Nuestro mundo ha llegado a su punto crítico; los hijos ya no escuchan a sus padres.»

4) «Esta juventud está malograda hasta el fondo del corazón. Los jóvenes son malhechores y ociosos. Ellos jamás serán como la juventud de antes.»

Después de enunciar las cuatro citas, el doctor Gibson observó cómo gran parte de la concurrencia aprobaba cada una de ellas. Aguardó unos instantes a que se acallaran los murmullos de la gente y entonces reveló el origen de las frases:

—La primera es de Sócrates (470-399 a.C.), la segunda de Hesíodo (720 a.C.), la tercera de un sacerdote (2000 a.C.) y la cuarta estaba escrita en un vaso de arcilla descubierto en las ruinas de Babilonia (actual Bagdad) de más de 4.000 años de existencia.

Y ante la perplejidad de los asistentes, concluyó diciéndoles:

—Señoras madres y señores padres de familia: Relájense, que la cosa siempre ha sido así...

Pero nos cuesta aceptar que siempre ha sido así, que nuestros padres pensaban lo mismo de nosotros. A algunos les resultan excéntricas las nuevas modas (*pearcings*, tatuajes, pantalones por la cadera...), pero éstas sólo representan nuevas formas de expresarse y no tienen una gran trascendencia. Sucede lo mismo en la empresa: los empleados se cambian de trabajo con mayor frecuencia, se ponen música para concentrarse, necesitan las nuevas tecnologías para hacer cualquier tarea... En vez de pensar que están equivocados y ser viscerales, hay que procurar hablar y entenderse y esto es válido para ambas partes.

Cuando se piensa que la juventud de ahora no sabe lo que es la vida, que se han perdido los valores, que las personas ya no trabajan como antes, etc., se cae en la queja permanente que nos hace volver la espalda al presente y al futuro y dificulta la comunicación con las nuevas generaciones. También es injusta la actitud opuesta: considerar anticuado todo lo que sea del pasado.

Es conveniente ser capaces de superar la barrera entre las generaciones y ser receptivos a lo viejo y a lo nuevo, sin aferrarnos a nuestro propio pensamiento como única verdad. Una mente abierta puede descubrir los valores positivos de la sociedad en la que vive, tanto el empuje y el optimismo de la juventud como la valía y la experiencia de los mayores.

Y no hay que olvidar que uno se mantiene más joven si es curioso y no se cree que lo sabe todo; no como aquél que tenía la mente tan pequeña, tan pequeña, tan pequeña, que no le cabía la menor duda.

Si analizamos estas barreras a conciencia, probablemente nos demos cuenta de cosas que nos están impidiendo tener una buena comunicación con nuestros hijos o con nuestros colaboradores y podamos dar al otro la oportunidad real de dialogar.

Además de tratar de evitar las barreras de la comunicación hay determinadas actitudes, que veremos a continuación, que nos pueden facilitar el proceso comunicativo.

Consejos para mejorar la comunicación

Como ya hemos visto, lo primero es crear un ambiente que facilite la comunicación y elegir bien el momento. Pero hay otras cosas que también podemos tener en cuenta como son:

a) Cuidar la forma de expresarse:

— Dar la información siempre de forma positiva. En vez de decir «esto no está bien», podemos decir «esto se podría mejorar».

— El sonido más melodioso para el oído humano es el nombre propio, por lo que si utilizamos el nombre de nuestro interlocutor, fomentaremos su acercamiento y que nos escuche con más interés, pero sin abusar de ello, ya que entonces sonaría forzado. Mi cuñado, cada vez que vamos a un restaurante, lo primero que hace es preguntarle el nombre a todos los camareros y cuando necesita algo, se lo pide directamente por su nombre. Son increíbles los resultados que obtiene con ese «pequeño» detalle.

— Ser claros a la hora de solicitar algo. No siempre nuestras instrucciones resultan suficientemente concretas.

— Evitar las generalizaciones (siempre, nunca).

— Cuidar el lenguaje, por mucha confianza que tengamos con la persona.

— No acompañar una pregunta con reproches del tipo: «¿por qué siempre lo haces así?»

— Evitar el abuso de expresiones como: «tú deberías...»; en vez de: «¿qué te parece si...?», «quizá convenga...»

b) Tener la actitud adecuada:

— No adivinar, juzgar o aconsejar en la medida de lo posible.

— Ponernos en el lugar del otro. Todos hemos sido, y muchos seguimos siéndolo, hijos y subordinados, por lo que no nos debería resultar excesivamente difícil.

— Escuchar con atención e interés.

— No interrumpir.

— No estar más pendientes de lo que queremos decir que de escuchar al otro. Hay personas que quizás escuchan bastante, pero no escuchan para comprender, sino que escuchan para contestar, para colocar sus ideas en cuanto tienen la más mínima oportunidad.

— Escuchar con verdadera intención de comprender a la otra persona no sólo en el plano racional, sino también en el emocional, puesto que no basta con entender lo que piensa, también habría que entender lo que siente.

— Pedir la opinión de todos, no sólo de los que tienen más facilidad para darla. ¿No os habéis encontrado en reuniones en las que el especialista de un tema no da su opinión y en cambio los demás no paran de hablar? A lo mejor esa persona es más tímida y necesita que le pregunten directamente.

— Tener capacidad para guardar secretos. Si alguien nos dice algo confidencial y nosotros lo contamos, no volverá a confiar en nosotros y se cerrará en banda otra vez que necesite hablarnos.

— Expresar y compartir nuestros propios sentimientos. Hablábamos en un capítulo anterior de dar ejemplo. ¿Cómo vamos a esperar que una persona comparta algo con nosotros si nosotros no lo hacemos con él o ella? Los demás no se abrirán si nosotros adoptamos siempre una actitud de *superman*.

— Preguntar si el otro está de acuerdo o solicitar aclaraciones para evitar errores de interpretación.

— Y por último, mantener la calma y el buen humor. (De eso tratará el siguiente capítulo.)

¿Y si debemos corregir algo?

Los consejos que figuran a continuación, basados en las pautas que da Beatrix Palt en su libro[14] nos pueden ayudar a dar nuestra opinión de forma positiva, aunque lo que tengamos que decir no lo sea:

---

14. *Cómo regañar, pero bien*. Beatrix Palt. Editorial Omega, 2005.

— Es conveniente hacerlo con seriedad, sin que se pueda confundir con una broma. Si a un niño le regañamos porque ha pegado a su hermano, pero al mismo tiempo nos estamos riendo con los amigos de su monería, probablemente él no se tomará en serio esa norma. O si un empleado que no ha llegado a sus objetivos por algún motivo, le decimos mientras tomamos una cerveza: «A ver si hacemos un esfuerzo por vender más...» con tono de guasa, lo más probable es que no lo considere importante.

— La continuidad es primordial, no debemos cambiar las normas o los objetivos de un día para otro, o al final no estará claro lo que se espera de ellos.

— Es conveniente explicar previamente los límites, en el caso de los hijos, y los objetivos, en el caso de los empleados.

— La conversación debe ser constructiva. Es necesario exponer argumentos y mostrarse afectuoso (que no divertido). Las observaciones que hagamos funcionarán mejor si las hacemos en positivo que si las hacemos en negativo. Es mejor decirle a un niño que comer dulces es malo para la salud y que es más sano comer fruta, a decirle que no coma dulces. Y a un colaborador, es más productivo decirle que puede mejorar el informe en «este y este otro aspecto», a decirle que no te gusta. Mi secretaria siempre me recuerda una vez que en un informe, en el lateral de una página le puse ¡¡¡MUY FEO!!! en grandes letras rojas. Eso ha sido motivo de risas continuas entre mis colaboradores. Es verdad que no fue la mejor forma de pedirle que cambiara la presentación.

— No manifestar puntos de vista diferentes entre las

distintas autoridades. En el caso de la empresa, si dos niveles jerárquicos se contradicen, el empleado no sabrá a qué atenerse. Lo mismo les sucede a los hijos cuando el padre dice una cosa y la madre otra.

— Hacerlo con serenidad, ya que así se genera un ambiente de confianza que permite una escucha más receptiva.

— Si en algún momento se produce una discusión debida a opiniones dispares, es importante evitar los arrebatos y la pérdida de control. Si se nos va de las manos, es mejor hacer una pausa para apaciguar los ánimos y continuar al cabo de un rato. Si perdemos las formas, perdemos la razón. «Los gritos, las descalificaciones y los insultos son siempre ineficaces a nivel educativo, cuando no causan un daño irreparable»,[15] y en el entorno laboral son totalmente inadmisibles.

— Mantener la objetividad. Si nos dejamos llevar por nuestro estado de ánimo podemos ser excesivamente críticos y por tanto, injustos.

— Dejar espacio para la reflexión y preguntar al otro si está de acuerdo con nuestra apreciación.

— No traer a colación temas del pasado.

— Ser breve: es mejor poco y bien argumentado que mucho.

— Explicarnos con claridad, tanto sobre el tema en sí como sobre lo que esperamos que se haga y los motivos. Por ejemplo: «Es importante que hagas esto porque...»

— Hay que dar nuestra opinión sin herir, sin cues-

---

15. *Los problemas de los hijos*. Bernabé Tierno. Ediciones San Pablo, 1992.

tionar a la persona ni su capacidad para obtener los resultados esperados.

— Es necesario tener cierta tolerancia, incluso si somos muy perfeccionistas y hablar sólo de cosas realmente importantes, ya que si no podemos caer en un seguimiento abrumador y no les estaríamos fomentando la capacidad de tomar decisiones de forma autónoma.

— Es importante adecuar la conversación a la gravedad de la situación. Si un niño tiene todas sus cosas por el medio, será necesario hacerle entender que eso dificulta la convivencia, pero si se ha asomado peligrosamente a la ventana de un décimo piso, tiene que detectar en nuestra forma de hablar que el tema es muy grave y que su vida corre peligro. En el caso de los colaboradores, si no ha alcanzado un objetivo menor que no tiene trascendencia, no podemos darle *feedback* de la misma manera que si las ventas de su área han caído un 50%.

— Hay que respetar la concentración de los demás. En el caso de los hijos, a veces no es que no quieran escuchar cuando les pedimos que hagan algo, es que están concentrados en otra cosa y no nos han oído, por ello es bueno pedirles que repitan lo que les hemos dicho. En el caso de los empleados, resulta muy molesto que el jefe les interrumpa constantemente para revisar distintos temas. En mi caso, yo tenía la mala costumbre de llamar a mi secretaria cada vez que se me ocurría algo, hasta que un día me pidió, con buen criterio, que por favor apuntase las cosas y que luego se las dijera todas juntas, ya que su productividad se veía afectada por mis constantes interrupciones.

— Las conversaciones sobre normas o sobre objetivos son cosa de dos, no es bueno tratarlas delante de terceros.

Una vez que hemos dado nuestra opinión sobre un tema, debemos observar si la persona entiende lo que se espera de ella y actúa en consecuencia. Si no es así, deberíamos analizar qué hemos podido explicar mal y volver a tener otra conversación, o reflexionar sobre si hay algo más que no hemos detectado: puede que exista un problema más profundo de inadaptación o de falta de motivación y en ese caso sería bueno detectarlo a tiempo. Sin embargo, si la actitud hacia nuestros comentarios ha sido positiva, hay que conseguir que se afiance esa forma de hacer las cosas y se convierta en costumbre. Para ello, es bueno elogiar cuando se detecte el cambio y animar a practicar (teniendo paciencia hasta que salga como consideramos que debe salir), ya que se aprende por repetición. Y sobre todo ¡no rendirse!

Sean como sean los resultados, las correcciones muchas veces generan malestar, por lo que habrá que buscar un acercamiento posterior si la persona está molesta.

La importancia del lenguaje no verbal en la comunicación

A todos nos ha pasado, o al menos a mí, en numerosas ocasiones, que un hijo nos está hablando y nosotros, mientras tanto, estamos revisando el correo o viendo las noticias, y nuestro hijo nos agarra la cabeza con ambas manos, para que le miremos, y nos dice: «No me estás escuchando». ¡Cuánta razón tiene! Y esto no sólo pasa con los hijos. En el trabajo, a veces yo estaba en el despacho y entraba alguno de mis colaboradores a consultarme algo; aunque les escuchaba, seguía escribiendo o leyendo correos. Ellos me transmitían lo que querían e incluso yo era capaz de darles una respuesta, pero probablemente ésta no era la más acertada, puesto que no había escuchado de verdad y, aunque tal vez lo fuera, ellos probablemente pensaran que había falta de interés por mi parte.

Y es que menos de un 20% de la comunicación entre las personas es verbal. Como dice Flora Davis: «La comunicación humana es compleja... interpretamos cierto movimiento corporal o reaccionamos ante un tono de voz y lo leemos como parte del mensaje total... Las personas se guían más por una sensación global de la situación que por un análisis intelectual. Las palabras son hermosas, fascinantes e importantes, pero las hemos sobreestimado en exceso, ya que no representan la totalidad, ni siquiera la mitad del mensaje»[16]. Porque las emociones se expresan, sobre todo, a través de las formas, el tono de voz, los ademanes..., por ello todo nuestro cuerpo debe fomentar la escucha atenta.

Consejos para mejorar la comunicación no verbal:

— Eliminar y evitar las distracciones: dejar lo que estemos haciendo, apagar la televisión o el ordenador, cerrar la puerta si hay ruido, etc.

— Cuidar la mirada. Los ojos expresan de una for-

---

16. *La comunicación no verbal*. Flora Davis. Alianza Editorial, 1998.

ma muy clara nuestras emociones, por lo que si miramos de forma directa y limpia a los ojos del otro, transmitimos calma, seguridad, sinceridad y afecto, lo que nos acerca a nuestro interlocutor. En cambio si, por ejemplo, tenemos prisa, o no nos sentimos bien, transmitiremos inquietud, tensión, preocupación.

— El tacto también puede reforzar nuestro mensaje: una caricia en el caso de los hijos o una palmada en el de los colaboradores. Ojo con acariciar a estos últimos, igual no lo interpretan bien...

— Nuestros gestos y nuestra postura deben confirmar nuestro mensaje. A través del uso de las manos, los brazos, la cabeza, etc., podemos facilitar la comunicación y reforzar nuestra actitud de escucha.

— Cruzar los brazos supone poner una barrera física entre nuestro interlocutor y nosotros y eso nos aleja de la persona con la que intentamos comunicarnos.

— Si nos removemos inquietos en la silla o miramos constantemente el reloj, daremos la sensación de que queremos terminar cuanto antes, por lo que habremos estropeado la predisposición del otro al diálogo.

— Estar de pie si ellos están sentados les pone en inferioridad de condiciones y, por tanto, incómodos.

— Hay gestos como mostrar las palmas de las manos que indican sinceridad y otros como unir los pulgares, muestran confianza en uno mismo. Si nos acariciamos la barbilla estaremos transmitiendo la sensación de que estamos reflexionando sobre lo que nos han comentado.

— Estar de frente a nuestro interlocutor, un poco echados hacia delante, demuestra interés.

— Nuestra presencia y apariencia personal, también influyen en la comunicación. Ésta debería ser acorde con cada circunstancia.

— El tono, la velocidad y el volumen de la voz también deberían ser los apropiados.

El comportamiento no verbal dice tanto de nosotros como las propias palabras. Es un indicador claro de nuestro pensamiento y de nuestro estado de ánimo y deberíamos tenerlo en cuenta, ya que si no lo hacemos, nuestro cuerpo puede contradecir nuestro discurso.

Como se ve en estos consejos, existe un gran número de elementos que influyen en una situación de comunicación y, aunque éstos se perciben de forma global, es posible tener en cuenta los factores que pueden controlarse: lo más adecuado es adoptar una postura corporal relajada, sentarse cómodamente, mirar al interlocutor de frente, sonreír de forma franca, utilizar las manos para acompañar el discurso, hablar con voz clara y audible, sin vacilaciones ni estridencias y procurar usar un tono cálido y sincero. En definitiva, deberíamos transmitir a nuestro interlocutor que realmente estamos interesados en el diálogo, pero no sólo con las palabras, sino con toda nuestra actitud.

También hay que hacer hincapié en que **en muchas situaciones, la comunicación más adecuada es el silencio.** Hay veces en que es preferible no decir nada y tal vez hacer sólo un pequeño gesto afectuoso. Con nuestro silencio podemos demostrar disponibilidad y respeto por los sentimientos del otro.

Si a través de nuestra actitud, establecemos un verdadero diálogo con los demás, los conoceremos mejor y seremos capaces de crear un ambiente de unión y afecto que fomente su crecimiento y el nuestro propio.

10

El estrés es el mayor enemigo de la armonía

«Citadme un hombre de mal humor que tenga poder suficiente para disimularlo, para soportarlo él solo, por no turbar la alegría de los que lo rodean.»

GOETHE

El estrés y el cansancio son frecuentes cuando uno trata de armonizar la vida personal y la profesional. ¿Cuántas veces llegamos a casa y nada más entrar por la puerta empezamos a dar órdenes o a regañar por unos zapatos que están en medio de la entrada? ¿Y cuántas veces, tras una noche mal dormida a causa de un niño que estaba enfermo, llegamos a la oficina y casi ni damos los buenos días?

La principal causa del estrés es que tenemos multitud de tareas, queremos llegar a todas y, además, pasar un tiempo de calidad con los hijos. Y aunque eso nos sucede a todos, las madres suelen registrar niveles más elevados de sobrecarga y estrés relacionados con la falta de tiempo.

Por un lado está la carga física: levantarse temprano; preparar los desayunos y las mochilas; llevar a los niños; llegar al trabajo y soportar horas y horas de presión intercalando en algún hueco las tareas familiares, los bancos, la compra, etc.; salir corriendo siempre en mitad de alguna actividad que deberíamos haber terminado; llevar o recoger a algún niño de una actividad extraescolar; llegar a casa, los deberes, los baños, las cenas; conseguir que se duerman los hijos (tarea no siempre tan fácil como parece) y, cuando creemos que ya está, que vamos a tener un ratito para nosotros, siempre surge algo: una llamada, un correo que hay que consultar en el ordenador, un tema que hay que preparar para el día siguiente... Por fin queremos dedicar un tiempo a ese libro que espera en la mesilla o a ese programa que teníamos ganas de ver, pero son más de las doce y se nos cierran los ojos. Y una vez en la cama, cuando intentamos dormir, a veces se nos viene a la cabeza la lista de cosas que no se nos pueden olvidar al día siguiente y no conseguimos conciliar el sueño. Miramos de reojo al despertador, vemos que son ya casi las dos y que al día siguiente nos tenemos que levantar a las siete y nos angustiamos todavía más. Y es que, además de la carga física que todas esas tareas suponen, si éstas se llevan a cabo cuando se está preocupado por otras cosas o por todo lo que está pendiente, se añade la carga mental; y la combinación de ambas es lo que provoca la sensación de agotamiento e irritabilidad, es decir, el estrés.

Cuando estamos estresados tenemos la sensación de

no controlar nuestra vida y eso mina la calidad del día a día y la calidad de nuestra relación con los demás.

También hay que tener en cuenta la aparición de las nuevas tecnologías, que aunque a veces tengamos la sensación de que nos facilitan las tareas, realmente nos generan una mayor sensación de prisa e impaciencia, ya que nunca desconectamos. En la oficina nos pueden llamar del colegio del niño si hay algún problema, por lo que, aunque estemos en una reunión importante, no apagamos el teléfono. Y asimismo, cuando estamos en casa, tratando de pasar un par de horas (cuando esto es posible) de calidad con nuestros hijos, tampoco apagamos el teléfono, o consultamos el correo constantemente por si surge algo urgente en la oficina. Esta situación a veces provoca que no nos dediquemos de verdad a ninguna de las dos actividades.

A veces pensamos que somos imprescindibles en todo y eso no suele ser cierto. Si el tutor no consigue hablar con nosotros, llamará a nuestro cónyuge o pondrá una nota en la agenda. Si pasara algo grave, que en realidad es muy raro que suceda, como que el niño se rompa un brazo o se haga una brecha, lo llevarán al hospital. De la misma forma, si en la oficina surge alguna duda que nosotros debemos resolver, es difícil que se hunda el mundo si lo solucionamos a la mañana siguiente temprano.

Pero existe una especie de miedo a perderse algo importante. ¿Y si me envía un mensaje fulanito? Es como si por el teléfono o por el correo pudiera llegar algo que nos fuera a cambiar la vida, cuando, en realidad, es siempre más de lo mismo. Un buen consejo sería aprender a apagar el teléfono. Un pequeño gesto que nos permitiría dedicarnos de verdad a una tarea, sea personal o profesional, a estar más concentrados y, por tanto, a llevarla a cabo más rápido y con mayor calidad. De esa forma tendríamos más tiempo para el resto de cosas, y eso eliminaría parte del estrés.

A veces somos incluso nosotros mismos los que nos creamos las urgencias fijándonos plazos muy cortos. El otro día, mi hermano se iba de viaje, pero estaba preocupado porque, aunque no le venía nada bien, debía volver el lunes temprano para acudir al neurólogo. Le estaba estropeando su plan, pero «había que ir», aunque fuera una cita de control sin urgencia alguna. Le sugerí que llamara a la consulta a ver si la semana siguiente había un hueco. Así lo hizo y no hubo ningún problema: se fue de viaje, volvió cuando le convenía y en la visita al neurólogo, pospuesta una semana, todo fue bien.

Este ejemplo ilustra lo que nos sucede con las tareas. Cuando nos coincide una reunión de trabajo con la tutoría de un hijo, tenemos la sensación de que necesitamos desdoblarnos, que nos harían falta varios clones de nosotros mismos para llegar a todo y nos sentimos fatal si posponemos cualquiera de las dos tareas; esto es más marcado en el caso de las madres, pero cada vez es más frecuente que los padres sientan lo mismo. Si decidimos aplazar la reunión de trabajo, creemos que la vida personal no nos deja desarrollar nuestra actividad laboral plenamente y si decidimos aplazar la tutoría, o que vaya solo nuestro cónyuge, nos sentimos malos padres y ninguna de las dos cosas son ciertas. Si en vez de una tutoría tuviéramos otra reunión con un cliente importante no nos causaría ningún problema cambiar la otra reunión; asimismo si nos coincidieran dos tutorías, no tendríamos ningún inconveniente en llamar a los tutores y pedir que cambiasen una de ellas. ¿Por qué, entonces, nos exigimos tanto a nosotros mismos? ¿Qué queremos demostrar? Somos sólo personas y deberíamos tratar de disfrutar de la vida y, para ello, es necesario disfrutar también de cada tarea o actividad que llevemos a cabo.

Si bien es cierto que si los niños no disfrutan y aprenden de la compañía y el ejemplo de sus padres, nuestra sociedad tendrá graves problemas para arreglar luego lo que genere el déficit de educación, tampoco hay que olvidar que aunque tengamos que compaginar el trabajo y la familia, con todas las tareas y tensiones que eso supone, al final realmente pasamos mucho tiempo con los hijos: unos los llevan por la mañana o les recogen por la tarde, otros les acompañan a sus actividades deportivas o a los cumpleaños de sus amigos, los fines de semana y las vacaciones se las dedicamos casi en exclusiva... ¿Por qué entonces sentimos a veces esa sensación de culpa si no llegamos a todo? Cuando no se puede, no se puede, y no deberíamos dejar que nos haga sentirnos mal el hecho de que un hijo no pueda ir un día a una actividad o a una fiesta. En muchos casos, a nuestros padres no les veíamos mucho más, especialmente a los padres (en masculino) y el trato era más formal y más distante. Intentemos pues quitarnos de encima la sensación de culpa y disfrutar de ese goteo constante de momentos, porque nuestra actitud frente a las tareas y nuestra relación con el tiempo influyen en nuestra manera de vivir y de trabajar, y también afectan a los que nos rodean. Si nosotros nos sentimos estresados, ellos también.

Es necesario tomarse el tiempo de otra manera, no como una carrera de obstáculos. Para ello, deberíamos hacer una evaluación objetiva de cómo lo usamos y replantearnos las prioridades. Como ejemplo utilizaré un relato que escribí hace unos años: **Crónica de un día.**

Son las 17:45. Voy en el coche. Suena el móvil. Es mi secretaria:

—*Natalia, han llamado de Francia, tenéis el* kick-off meeting *para el proyecto pasado mañana en París. He mirado en Internet y tendrías un vuelo por 200 euros a las 06:50. Si no lo compro ahora, probablemente suba el doble dentro de una hora.*

—*Envía por favor un correo al* Project Manager *para ver si quiere asistir él también y compra mi billete. Añade una tarea en el Outlook para que mañana revisemos la presentación.*

—*Ya lo he intentado, pero está caída la red interna y no tengo acceso a tu ordenador.*

—*Espera un momento, que me está entrando otra llamada. No cuelgues.*

<Menú> <Aceptar llamada entrante>

—*¡Hola, mamá!*

—*¿Vas conduciendo?*

—*Sí, pero no te preocupes que llevo el manos libres.*

—*¿No tenías hoy tutoría de Juan?*

—*Sí, por eso he dejado un montón de cosas sin hacer y he salido corriendo de la oficina.*

—Chica, lo del horario reducido es una tomadura de pelo. Cobras menos y trabajas lo mismo.

—Ya, mamá... Espera, que me están llamando. No cuelgues.

\<Menú\> \<Aceptar llamada 3\>

—Natalia, me han dicho que la reunión es en París pasado mañana, yo no puedo ir, estoy en Italia. Si quieres me pasas la presentación y añado las últimas referencias.

—De acuerdo, mañana cuando la revise te la mando.

\<Menú\> \<Recuperar llamada 2\>

(Me voy a acabar matando en el coche. La verdad es que debería encargar un manos libres.)

—Mamá, ¿decías...?

—¿Que si te acuerdas de que los niños tienen actividades extraescolares y no vienen en la ruta?

—Sí. ¿Podrías recogerlos tú?

—Muy bien. Pásate a por ellos cuando salgas.

\<Menú\> \<Recuperar llamada\>

—Perdona, ya he hablado con el Project Manager. No puede venir a la reunión. Si no se arregla lo de la red antes de que te vayas, mándame un SMS para recordarme lo del Outlook y luego en casa me conecto y lo intento hacer yo.

—De acuerdo, hasta mañana.

Son las 22:30. Estoy en casa. Marcos no ha vuelto todavía. He ido a la tutoría. Me ha costado un montón aparcar y he llegado tarde. He recogido a los niños en casa de mi madre. Me ha repetido que parezco tonta, que la empresa no es mía. Nos hemos ido a casa y he dado de cenar a los niños; he repasado los deberes con los mayores; he contado un cuento a las pequeñas; los he acostado a todos y he tenido que enfadarme tres veces hasta que he conseguido que se durmieran; me he preparado algo de cena que tengo aquí sobre la mesa en una bandeja, pero todavía no he probado bocado; he entrado en el Outlook para crear la tarea de revisar la presentación; he mirado mi correo y hay un mail *de un amigo que me envía un texto para que le dé mi opinión. El primer párrafo me salta a la cara con una fuerza que me deja sin respiración: «Una propuesta para nuestros tiempos rápidos es ir despacio. Porque no tener tiempo es como no tener nada. Y porque ir despacio no significa no llegar, sino llegar de la mejor manera posible, elegir hacer pocas cosas, que es una buena manera de hacer alguna de verdad.»*[17]

Me dan ganas de tirarme de los pelos, de chillar: «¿cómo se hace eso?, ¿a quién elimino de la lista?», desde luego a mí misma no, así que suspiro, intento sonreír y empiezo a revisar el texto... despacio, a conciencia, disfrutando. Luego leeré o escribiré un rato, también despacio. ¿Y mañana? Mañana será un día más de concentrar muchas cosas para poder hacer algunas despacio. De momento, no encuentro otra forma de vivir. Pero sigo buscando.

Han pasado varios años desde aquella experiencia; he leído muchos libros que tratan del tema, he cambia-

---

17. *Despacio*. Alberto Morell. Memoria del curso 2004-2005. ETSAM. Editorial Mairea libros, 2005

do algunas actitudes y ahora tengo una mayor calidad de vida. No me ha resultado fácil y he tenido que renunciar a bastantes cosas (sobre todo materiales), pero la sensación de plenitud y la relación que tengo ahora con mis hijos y con mis colaboradores, las compensan con creces.

Y es que hay algunas pautas de comportamiento que son fáciles de aplicar y que pueden modificar nuestra percepción del tiempo y reducir el estrés en gran medida:[18]

Encontrar placer en lo que se hace

Más de un 30% de los padres y madres que trabajan sufren de estrés. Hacemos demasiado y saboreamos demasiado poco. Voy a poner dos ejemplos, uno personal y otro profesional:

Carlos, que bien podría ser cualquiera de nosotros, salió un día de la oficina a toda velocidad porque tenía que llevar a su hija a clase de ballet. Aparcar cerca del colegio le costó unos valiosos minutos y la ansiedad, ya de por sí alta, subió varios grados. Recogió a la niña, le abrochó el cinturón en su alzador, que afortunadamente esa mañana se había acordado de coger del coche de su mujer. Se puso al volante y cuando pensaba que lo conseguiría, se encontró con un atasco monumental produ-

---

18. Muchos de los siguientes consejos están tomados de la *Guía para padres desbordados y con falta de energía*, de Francine Ferland. Colección Familia y Educación, Editorial Grao, 2008.

cido por un accidente. ¡Maldición! Empezó a decir barbaridades sobre el tráfico, sobre el alcalde y sobre la madre del alcalde. Cuando miró por el retrovisor y vio la cara asustada de su hija, se calmó automáticamente. Respiró profundamente y se hizo la siguiente pregunta: «¿Se hunde el mundo porque llegue diez minutos tarde a su clase de ballet?» Volvió a respirar, pidió perdón a la niña, le explicó que había tenido un mal día, pero que a partir de ese momento estaría mejor porque estaban juntos. Aprovechó el atasco para charlar con ella, para preguntarle por sus amigos, para contarle él una anécdota divertida que le había sucedido ese día, y cuando dejó a una niña alegre y sonriente en la puerta de la clase de ballet quince minutos tarde, él también se sintió bien, y en vez de aprovechar los 45 minutos que tenía que esperarla para hacer dos recados y tres llamadas pendientes, se sentó en un café y leyó el periódico con deleite.

> Siempre que tenemos que llevar a cabo una tarea, podemos elegir entre dos formas de hacerla: con estrés o encontrando placer en lo que hagamos.

El ejemplo profesional me lo contó Mónica, una antigua compañera que trabajaba en una empresa de telecomunicaciones. Tenían que preparar una oferta y responder a un pliego de condiciones para el día siguiente y se les había echado el tiempo encima. Según iba el trabajo a las seis de la tarde, se veía claramente que tendrían que estar hasta las dos o las tres de la madrugada si querían terminarlo. Ella era la responsable del departamento y se empezó a poner de mal humor porque no llegaría a tiempo para el baño, ni la cena, ni el beso de buenas noches de su hijo. En un determinado momento se sintió estresada y de mal humor, y notó que su equipo se había contagiado. Estaban todos igual que ella, tenían mala cara y el trabajo rendía menos y tardarían más, si es que lo terminaban. Entonces decidió cambiar de actitud. Les reunió a todos (eran cuatro) y les dijo que probablemente se tendrían que quedar hasta muy tarde, pero que si lo hacían con gusto, probablemente iría todo más rápido y el resultado sería mejor. Preguntó a su equipo si alguien tenía esa noche algo importante y no podía quedarse. Uno de ellos dijo que tenía que ir a recoger a su hijo de un cumpleaños, pero que le pediría a su hermano que fuera y si no podía, iría él mismo y después volvería. Hicieron una pausa para que cada uno llamara a su casa o atendiera sus temas personales, ella habló un buen rato por teléfono con su hijo y se sintió mejor. Una vez que tuvo conciencia de que esa noche no le vería, ya le daba igual llegar a una hora u otra.

Siguieron trabajando y a las diez pidieron unas pizzas y mucha coca-cola. Mientras trabajaban tuvieron varios momentos muy divertidos, con ataques de risa espontáneos y comentarios sobre la vida personal de cada uno, que en el día a día no se daban. Cada uno aportó ideas nuevas muy interesantes, con lo que el trabajo ganó en calidad.

Presentaron la oferta y cuando días después se enteraron de que la habían ganado, se fueron todos a celebrarlo. Después de aquella noche de trabajo, el equipo consiguió una unidad y un compañerismo que hasta entonces no había tenido.

El uso que hacemos del tiempo está estrechamente relacionado con nuestra capacidad de disfrutar de la vida.

Fijar prioridades

Como tenemos mil tareas, ponemos el piloto automático y hacemos lo que creemos que tenemos que hacer, pero no siempre nos paramos a reflexionar sobre las tareas en sí y sobre la verdadera necesidad de llevarlas todas a cabo.

Una buena forma de intentar priorizar nuestras actividades es analizándolas. ¿Qué tareas hacemos a lo largo de una semana? ¿Cuántas tienen relación con el trabajo, con la casa, con los hijos, con familiares o amigos, con nosotros mismos? No sigas leyendo tan rápido. Párate de verdad a pensar en todas tus actividades. Reflexiona sobre cuáles te resultan agradables y cuáles no. ¿Son demasiadas? ¿Te las has buscado tú o son solicitudes de otros (jefe, pareja, hijos, padres, amigos...)? Como dice Harvey Mackoy *«es importante fijar vuestras prioridades y el tiempo que estéis dispuestos a dedicarles, si no, otra persona se encargará de hacerlo por vosotros».*

Aunque nos dé la sensación de que estamos «obligados» a hacer la mayoría de esas actividades, hay algunas medidas que se pueden tomar para priorizarlas y para hacerlas de forma más relajada.

Es cierto que algunas hemos de hacerlas aunque no nos gusten, como por ejemplo la declaración de la renta, llevar el coche al taller, ordenar el armario o los papeles... Con ese tipo de actividades podemos hacer varias cosas: una de ellas es espaciarlas en el tiempo si es posible. Probablemente no pase nada si el coche circula diez días con un pequeño arañazo. Podemos también hacer la vista gorda en otros casos: pretender que el cajón de juguetes de los niños esté impecable tal vez no sea tan importante si eso implica que, para conseguirlo, tenemos que ponernos de mal humor, regañarles y estropear una tarde que puede ser muy agradable. Se pueden hacer trueques con la pareja, si la tienes, con algún familiar, incluso con los hijos. Hay tareas que a uno no le gustan, pero al otro le molestan menos. A mí me produce alergia ocuparme de la declaración de la renta y se lo cambié a mi hermano (que es un hacha en eso) por comprar los regalos de mis padres en los cumpleaños. Si no te gusta algo, cámbialo, y si no puedes cambiarlo, haz que te guste.

Busca la causa de por qué te resultan desagradables ciertas actividades e intenta cambiarlas o mirar las cosas desde otro punto de vista. Si estás en un atasco, aprovecha para mirar el paisaje (cuando estés parado, claro), escuchar tu música favorita, pensar en cómo enfocar algún tema de trabajo que no has tenido tiempo de analizar o cualquier otra cosa que lo convierta en una actividad placentera.

Lo mismo ocurre en el entorno laboral: confundimos

la cantidad de trabajo con la intensidad y, en vez de centrarnos en la planificación y en la delegación, seguimos trabajando a impulsos de la urgencia histérica, del «para ayer», lo que rompe la organización de nuestros colaboradores y, por tanto, les impide trabajar de verdad por objetivos. ¿Cuántas de esas urgencias no se podrían evitar con una mejor planificación? ¿Calculamos el coste de oportunidad cuando ponemos a todo un equipo a trabajar en una urgencia? ¿Y los demás proyectos?

En general, nos falta análisis crítico de nuestro día a día; estamos metidos en una vorágine de la que nos resulta difícil salir y sería muy provechoso tomarse el tiempo para reflexionar sobre ello y cambiarlo en la medida de lo posible.

Hacer listas

Como veíamos antes, muchas veces nos encontramos exhaustos en la cama, tratando de dormir sin conseguirlo, porque estamos pensando en todo lo que tenemos que hacer al día siguiente. Esto nos genera una falta de sueño que puede provocar un incremento en el nivel de estrés. En ese caso, es conveniente tener siempre en la mesilla de noche papel y lápiz, encender la luz y anotar todas esas cosas, ya que si las pasamos al papel, las sacamos de la mente, puesto que no tememos olvidarlas y ese pequeño gesto nos dará mucha tranquilidad.

El otro día estaba con mi amigo Fidel y me hablaba de un cigarrillo electrónico para dejar de fumar en el que yo estaba interesada. Saqué mi libretita negra, que está siempre en mi bolso con un bolígrafo y anoté el nombre, el modelo, dónde lo había comprado y el precio. Él me preguntó extrañado: «¿Qué pasa? ¿Tú lo apuntas todo?» Yo respondí muy seria, señalándome la frente: «No quiero ocupar espacio en el disco duro, prefiero dejarlo para cosas importantes». Se quedó pensativo, y me dijo: «Un día tenemos que hablar tú y yo largo y tendido». Creo que intuía el trabajo que yo había realizado en cuanto a la relación con el tiempo y quería profundizar en ello. Le diré que se lea este capítulo.

Organizarse

Si organizamos bien aquellas cosas que repetimos con frecuencia, esto nos puede ayudar mucho a controlar el estrés.

¿Quién no se ha encontrado en la puerta del aparcamiento buscando desesperadamente el tique? Si es un hombre, mirará en todos los bolsillos: el del abrigo, el de la americana, en los pantalones, en la cartera... y si es una mujer, vaciará el bolso sobre el capó del coche varias veces hasta dar con él. En el caso de que haya sido un buen día y no tengamos prisa, probablemente nos lo tomemos a broma, pero si llegamos tarde a una reunión, eso nos generará una dosis adicional de estrés innecesario. Si adquirimos la costumbre de colocar las cosas siempre en el mismo sitio, esto no nos sucederá. Yo coloco el tique siempre en un bolsillo pequeño que tengo en el bolso y así lo encuentro a la primera. Lo mismo habría que hacer con las gafas, las llaves, los informes de la oficina, el archivo del correo electrónico... Si establecemos un sistema por el que nos resulte más sencillo encontrar lo que buscamos, al poco tiempo se convierte en hábito y nos ayuda a ser más eficaces, a evitar el estrés y a disfrutar más de la vida.

De igual forma, si enseñamos a nuestros hijos a preparar cada noche las cosas del día siguiente (la ropa, los libros, etc.) nos evitaremos tensiones por la mañana y empezaremos el día con mejor pie.

Utilizar las nuevas tecnologías a nuestro favor

Teniendo en cuenta los dos apartados anteriores, podemos utilizar las nuevas tecnologías a nuestro favor. Si cada vez que cerramos una cita, sea profesional o personal, la incluimos automáticamente en el teléfono (o en el Outlook, aunque a mí eso me resulta menos práctico porque no siempre lo tienes a mano) y le añadimos una alarma por defecto para que nos avise una hora antes (hoy en día todos los móviles, hasta los más básicos, tienen esa función y es facilísimo hacerlo), podemos olvidarnos de ello sabiendo que no fallaremos. Lo mismo se puede hacer con las tareas pendientes (llamar al médico o a un cliente, buscar un papel, llevar el coche a la ITV, llamar a tu madre por su cumpleaños...). Basta añadirlas como cita en el teléfono a la hora en la que queremos hacerlas y el móvil nos avisará. Si no podemos llevarlo a cabo en ese momento, simplemente le damos a «posponer» y nos lo vuelve a recordar al cabo del tiempo que hayamos marcado. No es necesario llenar la cabeza con cosas que podemos delegar a la agenda del teléfono o de la Blackberry.

Asimismo, si cada vez que nos llama alguien del trabajo o el padre de un amigo de nuestro hijo, tomamos el hábito inmediato de incluir ese número en los contactos del teléfono, en otra ocasión en la que necesitemos hablar con esa persona, nos resultará muy fácil y no tendremos que hacer varias llamadas para conseguir el número. Y ¡ojo!, es muy importante sincronizar el teléfono con el ordenador para no perder nunca información importante. El otro día, siguiendo este consejo, hice la sincronización de mi teléfono, pero ¡oh cielos! ¡la hice a la inversa! Sincronicé el Outlook (que estaba vacío porque el ordenador era nuevo) sobre mi agenda del teléfono (que estaba a rebosar). He perdido un montón de información y me las he visto y me las he deseado para recuperarla.

Para el que ya lo haga puede que todo esto resulte muy obvio, pero yo sigo encontrando a mi alrededor personas que apuntan las cosas en papelitos, que luego no encuentran y se vuelven locos buscándolos.

Otro truco que da muy buen resultado cuando alguien nos pide que nos acordemos de hacer algo mientras estamos por la calle, ocupados o vamos en el coche, es preguntar a la persona si está conectada y pedirle que nos envíe un *email* para recordárnoslo.

La compra a través de Internet también es un mecanismo interesante que convierte un trabajo de tres horas en uno de quince minutos. Es cierto que a mucha gente le gusta ir de compras porque así le surgen ideas para comidas diferentes, etc., pero las compras rutinarias, como el detergente, el papel higiénico, la leche, las lentejas, el arroz, etc., se pueden hacer por Internet e ir al mercado o al súper a comprar los caprichos y los productos frescos, ya que de esa manera, en vez de una actividad titánica y agotadora, la compra se convierte en un placer.

Todos estos trucos nos pueden ayudar a dedicarnos con agrado a la tarea que tenemos entre manos, sin pensar en todo lo que se nos puede olvidar.

Saber delegar

Se han escrito tratados enteros sobre este tema, pero a la hora de la verdad a todos nos cuesta delegar porque tendemos a pensar que nosotros lo haríamos mejor. Los que hayan estudiado Economía lo tienen muy claro, existe lo que se llama «coste de oportunidad», que es el valor al que uno renuncia al escoger una de entre varias opciones excluyentes entre sí. Esto quiere decir que tal vez nosotros podamos arreglar el ordenador, instalar un foco o hacer un informe de ventas mejor que la persona encargada de ello, pero ¿a qué estaríamos renunciando para hacerlo?

Conozco a muchas mujeres que se quejan de que sus maridos o sus hijos no ayudan con las tareas domésticas, pero luego vas a su casa y ves a los hijos o al marido metiendo los platos en el lavavajillas y, en muchas ocasiones, ella dice: «No, así no, que no se lavan bien, deja, deja, que ya lo hago yo».

Cuando hay tareas que pueden hacer otros, aunque

creamos que nosotros las hacemos mejor, es conveniente que las hagan, aunque el resultado no sea perfecto, porque mientras tanto, nosotros podemos dedicarnos a algo que tiene un valor añadido mayor o que sólo podemos hacer nosotros.

Pasa exactamente lo mismo en el entorno laboral. ¿Cuantos jefes hay que quieren supervisarlo todo, pero luego no tienen tiempo de hacerlo y frenan a los demás y a ellos mismos?

Hay que saber delegar en la pareja, en los hijos, en los colaboradores, en los padres, en los amigos o en los compañeros cuando se brindan voluntariamente a hacer algo por nosotros, y es muy importante pedir ayuda cuando no llegamos.

Muchas veces, en aras de una supuesta independencia, privamos a los demás del placer de ayudarnos.

Deja siempre un espacio para ti

Deja siempre un hueco para las actividades que te gustan (hacer ejercicio, leer, charlar con un amigo, pasear, una afición...), ya que después de realizarlas sales con energía renovada. Si es una actividad deportiva, generas endorfinas, y en cualquier caso este tipo de actividades liberan las tensiones acumuladas.

Como dice Tomás Zumárraga, consejero delegado de Bridgestone Hispania: «*Si no llegas a todo, por lo menos mantente bien físicamente, porque si no, el ritmo te hace entrar en una espiral negativa. No puedes afrontar los retos sin potencia física».*

Relajarse, meditar o cualquier otra forma de sosiego

Busca tiempo para la reflexión. Como veíamos en capítulos anteriores, sin ese espacio de soledad resulta muy difícil aprender o cambiar. Relajarse o meditar unos minutos al día ayuda a reducir mucho el estrés. Existen diferentes métodos para aprender a relajarse o a meditar. Simplemente buscando «cómo meditar» en Internet aparecen cientos de ellos. El libro *El arte de la meditación*[19] de Matthieu Ricard, biólogo molecular y asesor personal del Dalai Lama, da unas pautas muy sencillas y accesibles.

Por su parte, Ramiro Calle, maestro de yoga desde hace más de 30 años y uno de los escritores orientalistas más importantes de Europa, dice que la relajación elimina todas las tensiones neuromusculares, estabiliza la acción cardiaca, ayuda a superar la ansiedad y el estrés, equilibra el sistema nervioso autónomo, apacigua la mente y las emociones, aumenta la capacidad de resistencia del organismo y perfecciona la unidad psicosomática. Y la meditación potencia todos los recursos mentales para aprender a encauzar positivamente el pensamiento, mejorar la calidad de vida psíquica y la afecti-

---

19. *El arte de la meditación*. Matthieu Ricard. Ediciones Urano, 2009.

vidad, adquirir sosiego y equilibrio, superar la ansiedad y frenar el estrés.[20]

La clave del éxito es la práctica asidua. Se puede hacer un rato cada día, o cada dos días, en cualquier momento y en cualquier lugar: en el trabajo, en casa, en el autobús... La mayoría de las dificultades y las tensiones que sufrimos tienen su origen en la mente y muchos de nuestros problemas están provocados o se ven agravados por el estrés. Si practicamos la relajación o la meditación durante diez o quince minutos al día, podremos reducir considerablemente nuestro estrés.

Si prefieres darte un baño de espuma, un masaje o cualquier otra actividad que te relaje y vacíe tu mente, funciona también, ya que cuando nuestra mente se calma, surge de forma natural un sentimiento profundo de felicidad y satisfacción que nos ayuda a resolver los problemas de la vida diaria.

Cuando estemos mal, es bueno decirlo

El cansancio, el mal humor o las hormonas (propias o ajenas) nos juegan malas pasadas. Como es inevitable cansarse y tener malos momentos, cuando esto sucede hay que decirlo: «Hoy estoy muy cansado, no puedo». Si intentamos parecer superhéroes, vamos a provocar incomprensión y desaliento en nuestros hijos y en nuestros colaboradores.

20. Ramiro Calle. Escritor y maestro de yoga. www.ramiro-calle.com

¡Llora cuando tengas ganas!, aunque sea a escondidas...

Ya sé que para muchos (aquí sí en masculino) esto puede sonar ridículo, pero según recientes estudios realizados por investigadores de Estados Unidos, cuando lloramos calmamos el dolor y eliminamos el estrés. Para llegar a esta conclusión hicieron un estudio en el que analizaron las lágrimas de dos grupos de voluntarios. Por un lado, las que provocaba una película triste y, por otro, las producidas al cortar cebollas. La composición de las lágrimas era muy distinta. Las lágrimas emocionales, además de su contenido en agua, sales y minerales, contenían gran cantidad de las hormonas responsables del estrés y del dolor. Por ello, las personas que se aguantan las ganas de llorar acumulan en el cuerpo esas sustancias y mantienen la tensión física y psíquica, y de esa forma prolongan su malestar. En este sentido tenemos un condicionamiento educativo muy fuerte, con la manida frase de «los chicos no lloran», y es cierto que, influidas por ese mismo condicionamiento, a las mujeres les parecen «blandos» los hombres que lo hacen, pero ya es hora de que tanto hombres como mujeres superemos ese prejuicio y hagamos caso a la ciencia.

Si no te convence mucho el hecho de ponerte a llorar en cualquier situación, un día que estés a solas, alquila una película triste y llora todo lo que puedas. «Sentido y sensibilidad» puede ser una buena elección si eres mujer, quizá para los hombres sea más apropiada «Terminator» o algo similar... Hablando en serio, si te encuentras en una situación límite, no te «tragues» las lágrimas, déjalas que fluyan (aunque tengas que esconderte) porque está demostrado que te ayudarán a eliminar la tensión y el dolor.

En resumen: lo importante es conseguir una organización del tiempo equilibrada, con actividades variadas que no nos dejen agotados, que desarrollen nuestra parte física, mental y afectiva.

«No esperes a que sea demasiado tarde, toma las medidas que necesites para que tus días sean dignos de ti, que te proporcionen placer y satisfacción ahora»,[21] y no cuando sea demasiado tarde.»

Francine Ferland

---

21. *Guía para padres desbordados y con falta de energía*, Francine Ferland. Colección Familia y Educación, Editorial Grao, 2008.

11

Nunca pierdas
el buen humor

«No os toméis la vida demasiado en serio,
de todos modos, no saldréis vivos de ella.»

Bernard Fontenelle

El sentido del humor es el mejor engranaje para que las cosas rueden más fácilmente y es el medio más eficaz para acabar con una situación tensa. Un ejemplo de ello me sucedió hace poco. Estábamos en casa viendo la televisión y en un intermedio le pedí a una de mis hijas que pusiera la mesa, ya que queríamos hacer una cena especial por el fin de las vacaciones. Se fue a la cocina y al cabo de un rato se escuchó un golpe tremendo. Como no le siguió el grito que suele preceder al llanto y en cambio se oían ruidos de trajín, entendí que se había caído algo, pero no la niña. Así que me levanté tranquilamente y fui a la cocina.

—¿Qué ha pasado?

Me miró con cara compungida, bajó la vista y dijo en un susurro:

—Se me han roto seis vasos.

Mi reacción, todavía no sé muy bien por qué, no fue ponerme a gritar, ni decirle que nunca tiene cuidado, que las cosas cuestan mucho o que se fuera inmediatamente a la cama. Simplemente me la quedé mirando con la cara sólo medio seria. Ella dijo entonces con un hilo de voz:

—Podría haber sido peor, porque llevaba una torre de diez. Al menos he salvado cuatro.

No me pude aguantar la carcajada.

—Espera, que te ayudo a recogerlo.

La niña me miró extrañada.

—¿No te enfadas?

—No chiqui, un accidente lo tiene cualquiera, pero tienes que hacerme caso cuando te pido que no apiles los vasos, que los coloques de uno en uno, te lo he dicho muchas veces.

Ella se puso a recoger y al rato me dijo:

—No lo voy a volver a hacer.

La miré muy seria y comenté:

—Creo que has aprendido la lección ¿no?

Ella se abrazó a mí riendo y me dijo:

—Ya te digo... La he aprendido, pero de verdad. —Y nos reímos con ganas.

Podría haberme enfadado y haber estropeado la cena especial por seis vasos, es decir, unos diez euros. Es cierto que la mayoría de las veces no perdemos los estribos por el daño material en sí, sino porque estamos convencidos de que los niños no prestan atención o no obedecen. Es casi como si pensáramos que lo hacen aposta, cosa que por supuesto no es así.

Es más, cuando nos pasa a nosotros, soltamos un taco y nos increpamos: «¡Parezco idiota!», cuando sería mucho más provechoso reírnos de nosotros mismos, porque no es necesario que nos tomemos tan en serio. ¿Para qué? ¿Se nos van a dejar de resbalar objetos? ¿Nos vamos a dejar de tropezar? ¿Ya no meteremos nunca más la pata por «regañarnos» a conciencia? Nada cambia, excepto una cosa, nuestro humor y, lo peor (y también lo mejor) es que el humor es contagioso, el malo y el bueno. ¿Por qué no elegir el bueno?

A veces, uno va por la calle y ve a alguien caminando sonriente y se pregunta: ¿Por qué estará ése tan contento?

Cuando nos sonríe alguien al dejarnos pasar con el coche o el quiosquero que nos vende el periódico o el camarero que pone nuestro café sobre la barra, esas sonrisas y ese buen humor se nos contagian y probablemente llegaremos a la oficina con mejor pie. De la misma manera, nuestra sonrisa cuando demos los buenos días también se contagiará a los demás y así tendremos todos un día mejor. Se me puede acusar de «buenista», pero lo digo por experiencia, las sonrisas y las malas caras de los demás nos afectan mucho y las nuestras también afectan a los demás.

Y si afectan las de unos desconocidos ¿cómo no afectará nuestra sonrisa a nuestros hijos y a nuestros colaboradores? ¿Y una buena carcajada?

Esto se refleja claramente en el ejemplo que vimos de Mónica. Cuando ella se puso de mal humor porque tenían que quedarse trabajando hasta tarde, su equipo se contagió. En cambio, cuando decidió que, ya que tenían que hacerlo, era mejor hacerlo de buenas, eso también se transmitió al resto.

Los niños están mucho más dispuestos a reírse que los adultos, y deberíamos intentar imitarles porque según varios estudios, los adultos que tienen una actitud positiva y de buen humor son más espontáneos, más curiosos y más creativos, tienen mayor capacidad de tomar la iniciativa y son más abiertos mentalmente. En general, tienen más facilidad para superar las dificultades, para buscar el lado positivo de las cosas y para encontrar soluciones originales.

Los hijos valoran mucho el buen humor y la alegría de sus padres y un equipo que trabaje con buen humor, aunque trabaje mucho, lo hace de forma más creativa. La ilusión les permite trabajar más y ahorrar una energía que, de otro modo, se vería reducida por el estrés.

«Jugando a ser el directivo perfecto, el padre perfecto, he hecho la vida imposible a mucha gente. Soy imperfecto, por eso es tan importante el humor», dice Santiago Álvarez de Mon en su libro ya citado.

Como explican Jesús Damián Fernández Solís y Eduardo Jáuregui en www.humorpositivo.com, el sentido del humor siempre ha sido un gran aliado de los empresarios, políticos, comunicadores y profesionales más brillantes. El buen humor y el trabajo no están, en absoluto, reñidos, sino todo lo contrario. En mis clases, cuando explico esto, siempre pongo el ejemplo de las oficinas de Google, y les enseño fotos a los alumnos. En ellas se ve el tobogán que tienen para bajar de una planta a otra, estancias con karaokes, futbolines y mesas de billar, salas de reuniones con forma de cabina de teleférico o de iglú... y en cambio, sus resultados y su crecimiento son espectaculares.

Pero todavía existe la cultura empresarial del trabajo «duro y gris» y muchas personas siguen evitando el humor en su entorno laboral. Los descubrimientos científicos recientes sobre los beneficios del humor están cambiando esto. En Estados Unidos, en Europa y en muchos otros países, los libros y cursos sobre el humor en el trabajo son cada vez más frecuentes y muchas empresas importantes ya integran el humor en sus programas de formación, o incluso tienen en cuenta lo positivo que sea el ambiente laboral en las distintas áreas para la retribución de sus directivos.

Por todo ello, si conseguimos potenciar el sentido del humor en nuestra empresa, eso nos proporcionará una gran ventaja competitiva, ya que mejora el ambiente laboral, incrementa la productividad y el sentido de pertenencia

Según un estudio realizado por las científicas Rothbard y Wilk, tanto un estado de ánimo positivo como negativo afectan a la productividad del trabajador, pero el efecto causado por el buen humor es mucho más poderoso. También descubrieron que el humor con el que se llega al trabajo tiene un efecto mayor sobre el estado de ánimo del resto del día —y sobre los resultados que se obtienen— que los cambios de humor provocados por hechos puntuales que suceden a lo largo del día en el trabajo.

Rothbard sugiere que se podrían mejorar los resultados de una empresa ayudando a los empleados a sobrellevar las cosas que les ocurren en sus vidas privadas y afectan a su estado de ánimo, como por ejemplo, aconsejando a los empleados cómo minimizar las molestias asociadas al transporte diario u ofreciendo asesoramiento para resolver problemas familiares.

También insisten en que «los ámbitos no laborales y laborales son permeables, y el humor a menudo se desborda del uno al otro», por lo que el tipo de día que hayamos tenido en el trabajo también nos afectará en cuanto al humor con el que llegaremos a casa.

Cuanto más positivos seamos en ambos sitios, mejores resultados tendremos también en ambas funciones, las relaciones con los hijos y con los empleados serán más fluidas y esto nos ayudará a sentirnos más plenos. Además, el buen humor mejora la salud.

«Unas buenas carcajadas movilizan gran parte de la musculatura corporal, favorecen la circulación sanguínea, refrescan de oxígeno los pulmones, favorecen la digestión con un masaje a los órganos internos y relajan el sistema nervioso. Incluso hay estudios que sugieren que reírse estimula el sistema inmunológico y genera endorfinas.

»También existen pruebas de los beneficios del humor para la salud mental. A corto plazo, la risa y el humor reducen las emociones negativas y aumentan el bienestar subjetivo. Y a largo plazo, existe una asociación estadística entre el sentido del humor (o más bien, los estilos de humor positivos y no los agresivos o los autodestructivos) con diversos indicadores de salud mental: mayor autoestima y bienestar psicológico, menor depresión y ansiedad. Incluso se ha demostrado que el humor estimula capacidades cognitivas asociadas a la creatividad y al aprendizaje.»[22]

En definitiva, se puede afirmar que el humor reduce el estrés, potencia la salud y las capacidades mentales y al menos indirectamente puede influir positivamente sobre la salud física a largo plazo.

El ser humano es el único ser vivo que puede reírse. ¡Ríete!... cuando estés solo o con los demás, de ti mismo... y recuerda que nunca se hunde el mundo, aunque a veces creamos que sí.

---

22. Jesús Damián Fernández Solís y Eduardo Jáuregui. *Humor positivo*. www.humorpositivo.com

12

Renuncia a ser Dios

«Más veces descubrimos nuestra sabiduría
con nuestros disparates que con nuestra ilustra-
ción.»

Oscar Wilde

Los líderes que tienen más éxito son los que se sienten
cómodos pidiendo consejo a los demás cuando lo necesitan y no tratan de proyectar una imagen omnipo-
tente. Hay que librarse del complejo de superioridad,
del convencimiento de que somos los que mejor hacemos todo. El dirigente y el padre deben tener un espíritu abierto y aceptar con alegría lo mucho que hay
que aprender y mejorar. Pero en muchas ocasiones,
en vez de hacer esto, *«queremos que nos adulen y nos
adulan. Nos gusta ser engañados y nos engañan. Ese
es el motivo por el que a cada escalón que subimos
en el mundo nos vamos progresivamente alejando de
la verdad. Nadie quiere irritar a aquellos cuyo apre-*

cio es más útil y cuya antipatía resulta más peligrosa.»[23]

Nos vamos, poco a poco, encerrando en nuestra torre de marfil, a la que los demás no llegan, e incluso a veces, despreciamos a aquellos que son menos capaces o que tienen menos suerte o que simplemente (según nuestro criterio) son débiles. ¿Dónde reside la verdadera fortaleza? Desde luego no en una tarjeta de visita, por más títulos que tenga, ni en una cuenta bancaria con muchos ceros, aunque eso nos facilite muchas cosas, sino que reside en nuestra capacidad de vivir una vida íntegra y plena, y eso es poco probable conseguirlo en lo alto de una torre, aislados de los demás.

¿No sería más satisfactorio ser un profesional capaz de ilusionar e involucrar a los que trabajan con nosotros que un jefe duro y distante? Si nos alejamos del verdadero sentir de los que nos rodean (hijos, colaboradores, familiares, amigos...) tenemos el riesgo de encontrarnos solos al final del camino.

Reconocerse débil puede ser un signo de fortaleza, por ello, una característica que nos hace mejores padres y mejores jefes es la capacidad de reconocer nuestros errores. ¿Es tan malo equivocarse? Pues depende fundamentalmente del ratio de errores, pero también, y yo diría que más todavía, de nuestra actitud ante los mismos.

Cuando negamos un error, lo escondemos o hacemos como si no lo hubiéramos cometido, sólo nos engañamos a nosotros mismos, pues los demás lo perciben. Si

---

23. *Pensamientos. Elogio de la contradicción.* Pascal. Temas de Hoy, 1995

por ejemplo, hemos regañado a un hijo desproporciona-
damente y aunque nos demos cuenta de ello, no hacemos
nada al respecto, el niño se quedará con la sensación de
la injusticia cometida y, cuanto mayor es el hijo, peor.
En cambio, si cuando nos equivocamos, lo admitimos y
pedimos disculpas, les estamos enseñando tanto a los hijos como a los empleados a que reconozcan sus errores
y comprendan que rectificar es de sabios y eso afianza el
carácter y hace a las personas más responsables.

Un «lo siento, me he pasado. Creo que tu actitud no
ha sido correcta, pero no debería haberte gritado» es de
las cosas más productivas que se le pueden decir a un
hijo. Y cuando te responde: «Vale, no pasa nada» y viene luego la reconciliación, los dos habréis crecido, habréis evitado que se enquiste una situación complicada y
estaréis más cerca uno del otro, lo que reforzará los la-
zos afectivos y la confianza mutua.

Y lo mismo sucede con los colaboradores.

En una reunión de departamento, yo corté bruscamen-
te a un colaborador y no le dejé expresar su opinión.
Cuando me di cuenta, paré de hablar, le pedí disculpas y
le dije que por favor nos dijera lo que iba a decir. En
aquella ocasión, su propuesta no se pudo aplicar, pero
podría haber sido muy útil. Si aquel día yo no me hubiera
disculpado y le hubiera dejado expresarse, probablemente
en otras ocasiones en las que ese colaborador sí aportaba,
y mucho, no se hubiera atrevido a decir nada.

También es importante reconocer cuándo se está de
mal humor o cansado, decírselo a la otra persona y pedirle dejar la conversación o la actividad para otro momento, sin por ello sentirse mal.

Una de mis hermanas, me contó una anécdota que refleja esto claramente. Llegó a casa después de un día horrible en el trabajo. Le había llamado un cliente enfadado, otro le había anulado un pedido y una persona valiosa de su equipo se marchaba de la empresa. Entró en casa con cara de malas pulgas y su hija de 9 años salió a abrazarla muy contenta. Esto no debe ser habitual en su caso, porque siempre dice que cuando llega, el único que sale a recibirla es el perro. La niña le dijo que había sacado un 10 en inglés (suele aprobar muy justito esa asignatura), pero su madre no le hizo ni caso y siguió a lo suyo.

Al rato, mi hermana se dio cuenta de que su hija se había sentado en la escalera y se le saltaban las lágrimas. Se sentó a su lado, dejó que pasara un rato para que las dos se calmasen y luego le explicó su día y también que no se encontraba bien. La niña, no sólo lo entendió perfectamente, sino que además le dijo que ella la iba a cuidar. La llevó a un sillón y le preparó una merienda especial. A mi hermana ese gesto le llegó al alma. Desde entonces siempre defiende que no tiene sentido intentar ser una superwoman y que es necesario compartir en casa las alegrías, pero también las preocupaciones.

Con los empleados resulta más fácil, ya que si les pedimos posponer una reunión o una actividad porque estamos cansados, como adultos que son, lo entenderán perfectamente y se darán cuenta de que es una alternativa mejor.

Pero son muchos los que, cuando llegan a ser jefes,

cambian. Se vuelven soberbios. De repente son incapaces de comunicarse con nadie si no es a través de su secretaria, llegan tarde a las reuniones excepto cuando asiste un jefe más jefe que ellos mismos, hacen esperar a sus visitas, ya no son como eran, son sólo una caricatura de sí mismos. En cambio, los buenos profesionales se caracterizan por su cercanía y su humildad.

La humildad es una gran virtud. Es reconocer nuestra propia debilidad y respetar la fuerza de los demás. La tienen los dirigentes o los padres que no lo saben todo, que dedican suficiente tiempo a los demás, que escuchan, que admiten que se equivocan, que les interesan los problemas de la gente.

Ser amables y respetuosos con los demás, por mucho que creamos que tenemos que tener otro rol, es un buen camino hacia la sabiduría. Dice Jennifer James, antropóloga, escritora y miembro del departamento de psiquiatría y ciencias del comportamiento de la universidad de Washington, que «la sabiduría es el largo proceso de aprender a ser amables»[24] y yo añado, no sólo con los demás, sino también con uno mismo.

Si somos humildes aprendemos de nuestra experiencia y de la de los demás, en cambio, lo que más desgasta las relaciones es el orgullo

---

24. *Veinte pasos hacia la sabiduría.* Jennifer James. RBA Editores, 2006.

13

Siéntete orgulloso de que te superen

«Pobre discípulo el que no deja atrás a su maestro.»

Leonardo da Vinci

¡Cómo presumimos los padres de nuestros hijos! Nos provocan una gran satisfacción sus triunfos, cuando destacan en algo, cuando les ascienden...

Yo siempre trato de moderarme en eso, pero, sobre un escenario con 50 niños, detecto al mío en microsegundos y, a partir de ahí, sólo tengo ojos para él o ella, y cuando alguien me dice algo positivo de uno de mis hijos (sea su tutora, un amigo, otro niño, un familiar o hasta un desconocido) me causa una alegría que muchas veces no se corresponde con el elogio; mucho mayor que si lo dijeran sobre uno mismo.

Hay dos sentimientos que se mezclan. Por un lado, ese «orgullo genético» que nos da la sensación de que nuestro material es de buena calidad. Esto es algo muy poderoso, ya que los animales y, más todavía los seres humanos, gastamos una cantidad inmensa de energía en seleccionar al compañero o compañera que juntará sus genes con los nuestros para procrear.

Por otro lado, está el orgullo por la labor bien hecha, es decir, por la educación que les hemos dado. En este caso, a veces sobrevaloramos nuestra intervención, ya que en una misma familia hay niños con habilidades distintas, más deportistas o menos, con mayor o menor fuerza de voluntad, por tanto los resultados serán muy dispares.

Pero, en cualquier caso, lo que debería halagarnos no es lo que nosotros hemos puesto, sino lo que con nuestra ayuda ellos han sido capaces de extraer de sí mismos; ya sea una habilidad especial con un instrumento, con un deporte, con los estudios, o un acto de generosidad o de empatía.

Y ese orgullo que sentimos, que nos parece lo más natural en el terreno familiar, muchas veces no lo aplicamos en absoluto en el terreno laboral.

En el plano profesional, es imprescindible seleccionar a los mejores. Los directivos elegidos para el Premio al Directivo Plus 2009 opinan que uno de los factores fundamentales de su éxito es haberse rodeado de gente muy buena. Un buen director de orquesta elige siempre a los mejores músicos. Pero en el mundo empresarial siempre ha existido un miedo latente a que otros destaquen más que uno mismo. La gran competitividad y el afán de prosperar, a veces, provocan que las personas les resten valor a los aciertos de los demás y escondan sus errores.

Cuando el jefazo habla especialmente bien de algún

colaborador nuestro, sentimos una punzada de celos; podemos incluso llegar a sentir miedo de que esa persona nos pueda «quitar» el puesto. Y es que a veces nos olvidamos de que nuestra responsabilidad como jefes incluye formar a los colaboradores para que aprendan a realizar sus propias funciones y parte de las nuestras. El valor de un jefe se refleja en la medida en que «realza» a sus colaboradores y en su deseo de trabajar a través de otros.

David Ogilvy, uno de los más reconocidos profesionales de la publicidad en el siglo XX, decía que si contratas a personas que saben menos que tú, acabarás teniendo una empresa de enanos, pero si contratas a gente que sabe más que tú y ellos a su vez contratan a gente que sabe más que ellos, acabas construyendo una empresa de gigantes.

Un buen jefe debería, por tanto, dedicar el tiempo suficiente a las personas que trabajan con él y a promocionarles. Muchas veces las empresas carecen de los mandos intermedios adecuados porque las personas que podrían ocuparlos no han sido correctamente enseñadas y motivadas por sus superiores. El jefe debería llevar las cosas de tal manera que si un día él falta, no pase nada.

Igual que hacemos con nuestros hijos, hay que sentirse muy orgulloso cuando un subordinado tiene talento y capacidad de liderazgo, incluso cuando están por encima del de uno mismo. Además de hacerlo por la empresa y por generosidad hacia él, también se puede mirar desde el ángulo del interés propio.

Ginés Alarcón, presidente de NAE dice: «Mi escenario ideal sería dirigir a gente mejor que yo; que las personas que trabajan contigo sean capaces de ser autónomas, tomar decisiones; que cuando te vienen a explicar un problema, te traigan la solución de la mano; que sean capaces de gestionar sus propios equipos. Yo prefiero que la gente lo haga mejor que yo. De esa manera no voy a sufrir. Si lo hacen peor, voy a sufrir.»[25]

Es una de las cosas que mi padre, tras cuarenta años de experiencia profesional brillante, repite a menudo. Su razonamiento es que la vida da muchas vueltas y cuando un empleado es brillante, lo más probable es que tenga una carrera acorde con su capacidad y, por tanto, puede terminar siendo tu jefe. Si nosotros le hemos ayudado, formado y promocionado, será un buen jefe con nosotros. Y por otro lado, si a uno le surge una oportunidad de promoción dentro de la empresa y dispone de gente bien preparada que le pueda reemplazar sin mucha dificultad, eso le quitará muchas trabas a su ascenso.

Habrá niños que sean más hábiles o menos que sus padres, habrá empleados que lleguen más o menos lejos profesionalmente que sus jefes, pero la gran responsabilidad del padre o del jefe es que lleguen a desarrollar sus capacidades al máximo, sin comparaciones, cada uno según sus posibilidades.

Igual que deseamos que nuestros hijos lleguen «más lejos» que nosotros, debemos hacer lo mismo con nuestros colaboradores.

_____

25. *Rodéate de gente mejor que tú.* Natalia Gómez del Pozuelo, Directivos Plus.

130

14

Atrévete y persevera

«No sabía que era imposible, así pues, lo hizo.»

COCTEAU

Una de las primeras frases que recuerdo haber escuchado de un jefe, y que me marcó profundamente, fue: «Lo mejor es enemigo de lo bueno». Al principio no lo comprendí bien, pero a lo largo del tiempo y según iba adquiriendo experiencia me quedó claro que si buscamos la solución perfecta, se puede llegar a la *«paralysis by analisys»*. Esta frase la dijo un militar que había dejado el ejército por la empresa privada, pero que se llevó con él algo del espíritu militar: siempre tiraba hacia delante y era inasequible al desaliento. Con él como jefe máximo, teníamos que instalar más de 200 centrales telefónicas en otros tantos municipios rurales de Colombia. Además de las centrales, había que construir los edificios, hacer las canalizaciones, instalar repetidoras, vender las líneas y ¡cobrar! En los dos años que duró la fase de instalación del proyecto, «el comandante» (así le llamábamos) nos arrastró a todos, y digo bien arrastró, a creernos que el proyecto era posible, cuando no lo era. A todos nos parecía inviable terminar a tiempo, que funcionaran las líneas y que los suscriptores las compraran. Pero él, nos reunía todos los lunes por la mañana a los cinco directores y nos hacía buscar la forma en que se podían sortear los numerosos obstáculos que surgían: problemas de permisos con los alcaldes, falta de entendimiento con el socio, con los sindicatos, problemas de seguridad, escasos recursos económicos de los posibles suscriptores, y un largo etcétera. Y aunque no siempre encontrábamos la mejor solución, al menos intentábamos poner en práctica una que fuera razonablemente buena, o la menos mala.

El obstáculo mayor fue que en esos dos años desde la central nos cambiaron cinco veces de división, porque la empresa estaba en un periodo de reestructuración, con lo cual «el comandante» cambió de jefe las cinco veces y, por tanto, hubo en poquísimo tiempo cinco enfoques distintos del negocio, cinco formas de informar... Pero él hacía de parapeto y a nosotros nos animaba a seguir adelante sin tener en cuenta nada de eso, a conseguir ese objetivo imposible.

A él le quitaron del puesto seis meses antes de finalizar el proyecto, pero cuando se instaló la última central, en el último pueblo, en el plazo previsto y nos fuimos a celebrarlo, todos reconocimos que habría sido completamente imposible sin el empuje del «comandante». Y es que el margen entre lo imposible y lo extraordinario es muy tenue, pero si uno no se atreve, ni persevera, nunca sabrá si hubiera podido conseguirlo. Como dijo el pintor Monet, mientras uno no haya intentado hacer una cosa no puede decir que sea imposible.

El liderazgo, el ímpetu y el ánimo son unas de las principales características de los buenos jefes. Un buen consejo que recibió Ángel María Herrera, director ejecutivo de Bubok fue: «Persevere. Nada en el mundo puede reemplazar a la perseverancia. El talento no lo hará; nada es más común que los fracasados con talento. El genio no lo hará tampoco; el genio sin recompensa es proverbial. Perseverancia y determinación son las únicas virtudes omnipotentes».[26]

Y en este caso, podemos hacer el aprendizaje a la inversa: desde el trabajo hacia la familia. Todos tenemos ejemplos de proyectos o clientes o negocios conseguidos a base de arrojo, esfuerzo y perseverancia. En cambio, en casa, ante un fracaso escolar prolongado o problemas de conducta o de falta de comunicación, no sabemos por dónde seguir. Creemos que hemos hecho todo lo posible y lo imposible para solucionar el problema y tenemos verdaderas ganas de tirar la toalla.

El verano pasado fue para mí un horror. Uno de mis hijos había suspendido cuatro asignaturas y nos pasamos, su padre y yo, todas las vacaciones (nuestro periodo de descanso anual) detrás de sus estudios, preguntándole las lecciones y preparando las materias. Aprobó las cuatro en septiembre, pero cuando empezó el año, nos

---

26. *Rodéate de gente mejor que tú.* Natalia Gómez del Pozuelo, Directivos Plus.

propusimos que eso no volviera a suceder y contratamos una profesora particular que viniera todos los días una hora para supervisar sus deberes y repasar las lecciones. Teniendo una ayuda diaria en la primera evaluación ¡suspendió ocho!

Realmente no sabíamos qué hacer, nos daban ganas de enviarle a un internado. Además, notábamos que esos resultados estaban minando su confianza, nuestra relación con él y el ambiente de la familia.

Me pasé varias noches sin dormir hasta que decidí hacer en casa lo que solía hacer en la oficina: coger el problema por los cuernos y, si yo no tenía capacidad para resolverlo, preguntaría a las personas que pudieran saber más del tema y consultaría con especialistas. Al final, después de muchas vueltas y muchas consultas, di con una logopeda que había tratado a varios niños con resultados sorprendentes. Hablé con ella y, aunque tenía una lista de espera de dos años, nos hizo el favor de cogerle dos horas diarias los siete días de la semana.

Es un trajín llevarle y traerle, ya que hay que sumarlo a las actividades de los otros tres, pero no sólo le está ayudando con los deberes, sino que le está enseñando técnicas de estudio, protocolos de comportamiento, hábitos, dicción, etc. Es una magnífica profesional y aunque sólo han pasado cuatro meses desde que el niño empezó la terapia, en la última evaluación ha suspendido tres y va camino de aprobar todas en junio. Pero no sólo eso, además está más alegre y comunicativo. Muchos días le da pereza y no quiere ir a la terapia, pero al final, él mismo reconoce que le está haciendo mucho bien.

Si no hubiera dado resultado, no sé qué hubiera hecho, pero sí sé lo que debería haber hecho: seguir buscando soluciones, que es exactamente lo que hago en el trabajo cuando me enfrento a un problema complicado, no darme por vencida.

Con ánimo y perseverancia, los errores, los obstáculos y las caídas sólo son oportunidades para aprender. El éxito se consigue a fuerza de muchos ensayos y fracasos.

Con nuestros hijos deberíamos hacer hincapié en la necesidad de tener ánimo y perseverancia, ya que en la actualidad hay una tendencia marcada a la búsqueda del éxito fácil y si no les mostramos el valor del esfuerzo y la perseverancia, pueden llegar a convertirse en personas inconsistentes y con muy poca tolerancia al fracaso.

Además de ánimo y de perseverancia hay que añadir otro factor que hace que algunos profesionales sean más brillantes que otros: **el saber aprovechar las oportunidades que se presentan.**

En este caso, el mejor ejemplo es el que me contó mi amigo Ricardo. En el 2001, en pleno pinchazo de la burbuja tecnológica, él se incorporó a una empresa punto com. Sus familiares y amigos le recomendaron no hacerlo, pero él creía en el proyecto y se lanzó. Al cabo de unos meses la empresa estaba a punto de quedarse sin dinero ya que la inversión de capital se agotaba. Ricardo llevaba varios meses negociando con un gran operador de telefonía la incorporación

de un servicio de la empresa en su red, pero el opera-
dor no se decidía.

El 4 de agosto, justo antes de irse de vacaciones,
decidió llamar una vez más al operador, aunque ya eran
las siete de la tarde y probablemente no encontraría a
nadie. Habló con su contacto y éste le dijo que en reali-
dad la persona que decidía el tema era el director de
marketing y le dio su número. Le llamó, y aunque en
cualquier otro momento la llamada hubiera sido filtrada
por la secretaria, precisamente por ser agosto y por la
tarde, le respondió él directamente. Le dijo que estaban
muy interesados en el servicio y que lo habían estudiado
para incluirlo al día siguiente en mesa de compras, pero
que había muchos puntos con los que no estaban de
acuerdo. Empezaron a repasar uno por uno, pero era
complicado hacerlo por teléfono, así que Ricardo le pro-
puso al director de marketing ir en ese mismo momento
a revisar todos los aspectos en los que tenían dudas o
querían negociar. Llegó a la oficina del operador a las
nueve de la noche. Salió de allí a las 23:30 con el acuer-
do de que si esa misma noche enviaba una nueva oferta
con todas las modificaciones acordadas, al día siguiente
iría a mesa de compras. Había renunciado a un porcen-
taje del margen, había incluido formación, soporte y
algunas características técnicas nuevas, pero a cambio
consiguió un adelanto importante.

Ricardo envió la nueva propuesta a las dos de la
mañana y al día siguiente firmaron el contrato. Gra-
cias a eso, su empresa se salvó y hoy factura más de
20 millones de euros al año. Su principal cliente sigue
siendo ese operador.

Ricardo demostró ser un buen directivo ya que supo tener el sentido de la oportunidad, pero también dominar el arte de la imprecisión y del tanteo sistemático.

Una solución oportuna, aunque imperfecta, es siempre mejor que la espera excesiva de la solución ideal. Decidir es elegir, y elegir siempre implica sacrificar algo.

Un buen amigo siempre dice que a nivel laboral él se rodea de «sonopros». La primera vez que se lo escuché, le pregunté lo que quería decir; me respondió: «Gente que me da **soluciones, no pro**blemas».

La vida está llena de oportunidades. El hombre que llega más lejos es, por lo general, el que actúa y se arriesga.

15

Afronta los cambios
con curiosidad positiva

«Quien pretenda una felicidad y sabiduría constantes, deberá acomodarse a frecuentes cambios.»

CONFUCIO

Vivimos en una sociedad en la que las cosas cambian cada vez más rápido. Siempre que pensamos en nuestros abuelos nos llama la atención el que en su época no hubiera televisión, ni prácticamente coches, ni muchas otras cosas, pero en realidad nosotros hemos tenido que adaptarnos a cambios mucho mayores y, lo que es más importante, nos hemos tenido que acostumbrar a la transformación constante.

Cuando yo empecé a trabajar ¡no existía el correo electrónico! Ahora lo pienso y me pregunto cómo podíamos trabajar sin él. Son muchos los cambios: los teléfonos móviles, Internet, las redes sociales, la nanotecnología, la biología molecular y todos los que vendrán y a los que nos iremos adaptando con mayor o menor facilidad.

La tecnología no consiste sólo en los nuevos cachivaches que utilizamos, sino que cambia profundamente las prácticas sociales y las formas de conocimiento; transforma la manera de relacionarnos con nuestros hijos y también la forma de trabajar.

Empecemos por esta última. Las nuevas tecnologías han revolucionado el trabajo y la comunicación. Ahora podemos compartir archivos, acceder a bases de datos de clientes desde cualquier parte, conocer las novedades de la empresa, poner al alcance de todos la información de forma inmediata, trabajar en equipo desde puntos distintos del planeta, hacer consultas rápidas a compañeros a través del chat, disponer de una Intranet para empleados, conocer nuevas oportunidades de carrera en la organización, hacer evaluaciones interactivas, realizar programas de acogida más accesibles y ágiles y cursos *on-line*, tener acceso a documentación, manuales, datos de proyectos y cualquier otra información de forma clara y rápida...

Lo mismo sucede en casa. Un niño puede estar en la habitación de al lado chateando con un amigo que está a miles de kilómetros y aunque parezca que está con nosotros, está lejísimos. Al mismo tiempo, podemos tener a un hijo fuera de casa pero hablar con él cada media hora, o puede estar en Inglaterra y nosotros chatear con él todas las noches. El concepto de «estar físicamente» ya no es el parámetro más importante a tener en cuenta y deja paso a una nueva forma hacer las cosas basada en la flexibilidad, la responsabilidad y la confianza tanto en casa como en el trabajo.

Como dice Ricardo Fisas, presidente de Natura Bissé: «Tiene que haber flexibilidad. En la cadena de producción es más complicado, ya que si te falla una persona, te falla el trabajo de producción y, por tanto, el trabajo está necesariamente ligado al número de horas que dedicas a producir, pero a nivel de gestión, es un asunto de ideas. Puede ser que una persona tenga una idea en cinco minutos, estando en cualquier sitio y eso puede valer por todo un mes de sueldo.»[27]

Esta nueva forma de relacionarnos es, por un lado, más fácil, ya que aunque nuestros horarios sean complicados, podemos, sin necesidad de presencia física, estar en contacto y mantener una relación personal o laboral fluida e intensa. Pero también es más difícil, porque es necesario un «acompañamiento emocional» basado en la comunicación, el respeto mutuo y la flexibilidad; y no siempre somos capaces de hacerlo de forma adecuada.

Las nuevas formas de organización y de comunicación han provocado muchos cambios. En el caso de las empresas, éstas son cada vez menos burocráticas y el sistema de organización más flexible; ya no es tan importante la permanencia y los grupos de trabajo se reorganizan constantemente. Y en las familias, cada vez son más numerosos los casos de organizaciones cambiantes debido a las separaciones, matrimonios posteriores, los hijos de uno, los del otro, las custodias compartidas, etc.

Por lo tanto, los padres y los directivos deben adaptarse a los cambios y mantener siempre la curiosidad para que su cabeza se mantenga fresca y creativa.

Y no sólo debemos ser capaces de adaptarnos nosotros, sino que debemos fomentar en nuestros hijos y en nuestros colaboradores la capacidad de ver la parte po-

---

27. *Rodéate de gente mejor que tú.* Natalia Gómez del Pozuelo, Directivos Plus.

sitiva de cada situación y el que tengan una confianza en sí mismos suficiente como para que los cambios no los desestabilicen. Si un hijo tiene que pasar cierto tiempo en casa de su padre o su madre, en caso de separación, eso no quiere decir en ningún momento que estemos lejos de él, o que no tengamos en cuenta sus necesidades o que le queramos o apreciemos menos. Es sólo una situación diferente que no tiene por qué ser peor. Asimismo, si un empleado solicita trabajar desde casa, eso no quiere decir que no vaya a cumplir sus objetivos o que ya no podamos contar con él; es simplemente un cambio en la forma de realizar su trabajo.

Los cambios son oportunidades. Es algo muy manido, pero en los tiempos actuales es muy necesario interiorizar este concepto. No todas, pero muchas personas pierden la curiosidad y son reticentes al cambio y es sencillamente por miedo. Miedo a perder algo: estatus, dinero, afecto, hábitos... Al respecto, Jaime Echegoyen, consejero delegado de Bankinter comentaba: «Estoy abierto a debatir, pero ahora algo menos. Con la edad te aferras más a tus ideas, y eso es un error, ya que puedes intentar aplicar siempre las mismas soluciones a los distintos problemas. (...) Te vuelves más rígido y menos creativo. Cuanto más exitoso eres, o cuanto más grande es tu empresa, peor, porque te da más miedo perder lo que tienes (...) y eso te deja crear menos y tiendes a arriesgar menos, porque crear es arriesgar, es probar cosas nuevas.»[28]

---

28. *Rodéate de gente mejor que tú*. Natalia Gómez del Pozuelo, Directivos Plus.

En el plano personal, también sucede. Un amigo mío, cuando se estaba separando, me dijo que su mujer le había «roto la vida». Cuando al cabo de unos meses le vi de nuevo, se había quitado de encima los diez kilos que le sobraban, practicaba las aficiones que había abandonado cuando se casó, tenía una mejor relación con sus hijos y sobre todo, estaba ilusionado y lleno de vida. No se lo dije, pero recordando su comentario, me di cuenta de que su mujer (ex mujer por aquel entonces) le había simplemente «roto la *forma externa y habitual* de vida», le había cambiado los esquemas y no sé si él se da ahora cuenta, pero le había hecho un gran favor.

Por todo ello, hay que preparar a las personas para actuar en organizaciones temporales, flexibles y variables. Y aunque la enseñanza escolar y universitaria sigue basándose en la memorización y la lógica, debe hacerse un giro hacia otras formas de aprendizaje como la observación, la experimentación, así como introducir la noción de incertidumbre y de aleatoriedad. Hay que utilizar métodos que fomenten la iniciativa y la creatividad, cuya base sea el desarrollo de la personalidad.

No sirve de nada que nos aferremos a los métodos antiguos, rígidos y jerarquizados. Cada vez es más importante la flexibilidad mental y la capacidad de adaptación.

16

¿Cómo te hubiera gustado que te trataran a ti?

«El jefe del rebaño es un animal como los otros.»

ANÓNIMO

Los padres ven a sus hijos como niños, y los jefes ven a las personas que trabajan con ellos como empleados. Ninguno de los dos los ven como lo que realmente son: personas. Ni más ni menos. Con sus miedos. Probablemente muy similares a los suyos. Altos, bajos, inteligentes, capaces, perezosos...

Recuerda cuando has sido hijo/subordinado, lo que te gustaba y lo que no.

Seguro que muchas veces, al escuchar a tu padre o a tu madre decirte «¿lo ves?, te lo dije...», habrás jurado sobre lo más sagrado que nunca le dirías algo así a tus hijos. Y también es más que probable que, cuando al empezar tu carrera profesional te encontraste con un jefe déspota que sólo se escuchaba a sí mismo, te prometieras que tú ibas a ser distinto. Tú serías más conciliador, sabrías buscar lo mejor de cada colaborador y valorarlo.

Pero pasan los años y muchas veces nos encontramos repitiendo los mismos patrones de conducta que tanto habíamos criticado, nos olvidamos de todos esos buenos deseos de juventud y nos dejamos llevar por la presión, los nervios, el interés o el mal humor. Nosotros que nunca íbamos a ser así...

Nos podemos engañar pensando que entonces no sabíamos nada de la vida, que lo que hacemos es lo correcto o que no hay otra forma de actuar, pero es falso. Hay otra manera:

Trátales como a ti te hubiera gustado que te trataran.

No es necesario presumir de hijos; ellos son libres y por tanto, responsables de su vida; solo podemos ayudarles a vivir de verdad. Si dejamos de lado nuestro ego y nuestra necesidad de sentirnos los mejores en todo, conseguiremos de verdad un progreso sustancial, porque la función de los padres no es crear personas exitosas o genios, sino personas íntegras y positivas.

No seremos los mejores, pero a través de nuestra actitud de aceptación incondicional, nuestros hijos serán personas equilibradas y felices (sigan o no el camino que nosotros queramos) y nuestro equipo tendrá mejores resultados y además nuestros colaboradores estarán encantados de pertenecer a él.

Las pautas no son muy complicadas, las hemos ido viendo a lo largo del libro:

— No tenemos por qué aceptar nuestra realidad tal como es.

— Busquemos oportunidades para reflexionar sin llenarlas inmediatamente con alguna actividad.

— Educar no es imponer nada a nadie, sino *ayudar a ser*.

— Debemos adaptar el trabajo a las personas, en vez de intentar adaptar las personas al trabajo.

— Hay que intentar que cada persona desarrolle al máximo sus capacidades, sin pretender que todos tengan habilidades estándares. En la diversidad está la riqueza.

— Trata a cada uno según sus necesidades, pero que parezca que les tratas a todos por igual.

— La educación/gestión es un proceso de acompañamiento que hace posible la libertad gradual. Pero los hijos o los empleados no aprenderán a ser libres mientras nos empeñemos en decidir por ellos.

— No son nuestras palabras o consejos, sino nuestras acciones y actitudes las que transmiten los modelos de conducta.

— El refuerzo positivo resulta más eficaz que la censura o la crítica.

— La disciplina no significa obedecer a la autoridad sin cuestionarse, sino desarrollar las habilidades necesarias para conseguir las propias metas.

— La comunicación es el único camino al entendimiento.

— La escucha real se basa en el sentimiento profundo y sincero de que las opiniones del otro son igual de importantes que la nuestra.

— Siempre que tenemos que llevar a cabo una tarea, podemos elegir entre dos formas de hacerla: con estrés o con agrado.

— No esperes a que sea demasiado tarde, adopta medidas para que tus días sean dignos de ti, que te proporcionen placer y satisfacción ahora, y no cuando sea tarde.

— El sentido del humor es el mejor engranaje para que las cosas rueden más fácilmente y es el medio más eficaz para acabar con una situación tensa.

— Potenciar el sentido del humor de una organización proporciona una gran ventaja competitiva, ya que mejora el ambiente laboral, incrementa la productividad y el sentido de pertenencia.

— Si somos humildes, aprendemos de nuestra experiencia y de la de los demás, en cambio, lo que más desgasta las relaciones es el orgullo.

— Siéntete orgulloso de que te superen.

—Con ánimo y perseverancia, los errores, los obstáculos y las caídas sólo son oportunidades para aprender. El éxito se consigue a fuerza de muchos ensayos y fracasos.

— Hay que seguir siendo curioso siempre y ser capaz de adaptarse a los cambios. No sirve de nada que nos aferremos a los métodos antiguos, rígidos y jerarquizados. Cada vez es más importante la flexibilidad mental y la capacidad de adaptación.

— Trata a tus hijos y a tus colaboradores como a ti te hubiera gustado que te trataran.

No se puede pensar que de la noche a la mañana vamos a hacer todo como nos gustaría, ni vamos a cambiar actitudes que están profundamente arraigadas en nosotros, pero si hacemos caso de lo que dicen muchos filósofos, lo importante no es la meta, sino el camino hacia ella. Por ello, todo lo que podamos ir mejorando, todo lo que sepamos incorporar a nuestro día a día, nos hará más felices a nosotros y a los que nos rodean.

Se ha acabado el tiempo del padre y del jefe policía o juez. Hoy hacen falta padres y jefes que estimulen, que descubran talentos y que faciliten el trabajo y el crecimiento personal.

El aprendizaje continúa

«Cuando he estado trabajando todo el día, un buen atardecer me sale al encuentro.»

GOETHE

Llegamos al final. Me cuesta despedirme porque a lo largo de todos estos meses, cada vez que escribía una página hacía una entrevista o leía un libro relacionado con el tema, me imaginaba a un padre o a una madre leyendo las frases y reflexionando sobre ellas; sobre su forma de actuar, su forma de ver la vida, llevándome la contraria o subrayando unas palabras que le habían llamado la atención. Y era como si compartiera con muchos padres y madres que también tienen responsabilidades profesionales una charla en la que cada uno daba su opinión y los demás escuchábamos atentos para aprender, para crecer.

Es probable que la charla continúe para cada uno de

nosotros en otros foros: en casa, durante un café, en una cena con amigos... porque los que somos padres y profesionales no podemos dejar de indagar y de compartir. Por ello hemos creado en *linkedin* y en *facebook* el grupo «Buen padre, mejor jefe» para que todos los que deseen puedan aportar sus ideas y aprender de las de los demás, porque hay un afán interior que nos impulsa a intentar hacerlo cada día mejor y, aunque nos equivoquemos en muchas cosas, la gente más feliz no es la que busca a conciencia la felicidad, sino la que trata de superarse y la que acepta la vida como viene y se adapta a ella y a las nuevas circunstancias cuando éstas cambian. Por eso, *«si del cielo te caen limones, aprende a hacer limonada»*[29].

Volvamos pues a nuestras múltiples tareas, pero hagámoslo con alegría, pues la vida es este momento, el de ahora mismo, cuando cierres el libro y disfrutes de lo que tengas que hacer.

---

29. *Rodéate de gente mejor que tú*. Natalia Gómez del Pozuelo, Directivos Plus.

Bibliografía

- *Alta diversión. Los beneficios del humor en el trabajo.* Eduardo Jáuregui. Jesús Damián Fernández. Alienta, 2008.
- *Bajo presión,* Karl Honoré. RBA Libros, 2008.
- *Cartas al padre.* Kafka. Editorial Lumen, 2001.
- *Cómo regañar, pero bien.* Beatrix Palt. Ediciones Medici, 2005.
- *Despacio.* Alberto Morell. Memoria del curso 2004-2005. ETSAM. Mairea Libros, 2005.
- *El arte de la meditación.* Matthieu Ricard. Ediciones Urano, 2009.
- *El directivo excelente.* Craig R. Hickman, Michael A. Silva. Grijalbo, 1986.
- *El viaje a la felicidad.* Eduardo Punset. Destino, 2005.
- *En busca de los mimos perdidos.* Giulio Cesare Giacobe. Debolsillo, 2008.
- *Free Play: la improvisación en la vida y en el arte.* Stephen Nachmanovitch. Paidós, 2004.
- *Guía para padres desbordados y con falta de energía.* Francine Ferland. Editorial Grao, Colección Familia y Educación, 2008.

— *Humor positivo*. Jesús Damián Fernández Solís y Eduardo Jáuregui. www.humorpositivo.com.

— *Jokes and their relation to the unconscious*. Sigmund Freud. Norton & Company Inc., 1990.

— *La comunicación no verbal*. Flora Davis. Alianza Editorial, 1998.

— *La formación del dirigente*. Gabriel Barceló Matutano. CDN, Ciencias de la Dirección, Colección El Dirigente 2000.

— *La rebelión de las masas*. Ortega y Gasset. Espasa Calpe, 2009.

— *La sabiduría recobrada*. Mónica Cavallé. Ediciones Martínez Roca, 2005.

— *Liderazgo emocional*. Richard Boyatzis y Annie Mc-Kee. Harvard Business School Press, 2005.

— *Los problemas de los hijos. Escuela de padres*. Bernabé Tierno. San Pablo Editorial, 1999.

— *Mercadona, líder a las claras*. Miguel Olivares. El País, 14/05/2006.

— *No soy superman*. Santiago Álvarez de Mon Pan de Soraluce. Prentice Hall Iberia, S.R.L., 2007.

— *Pensamientos. Elogio de la contradicción*. Pascal. Temas de Hoy, 1995.

— *Poner límites a tu hijo: cómo, cuándo y por qué decir no,* Tania Zagury. RBA Libros 2005.

— Ramiro Calle. Escritor y maestro de yoga. www.ramirocalle.com.

— *Rodéate de gente mejor que tú*. Natalia Gómez del Pozuelo. Directivos Plus, 2009.

— *Saber educar. Guía para padres y profesores*. Bernabé Tierno y Antonio Escaja. Temas de Hoy, 2000.

— *Ser padres hoy. Escuela de padres.* Bernabé Tierno. Editorial San Pablo, 1992.

— *Ser padres sin castigar.* Norm Lee. www.nopunish. net

— *Sin horarios. Una forma distinta de trabajar basada únicamente en resultados.* Cali Ressler y Jody Thomson. Empresa Activa de Ediciones Urano, 2009.

— *Toward a better understanding of playfulness in adults.* Guitard, Ferland, Dutil. OTJR, 2005.

— *Veinte pasos hacia la sabiduría.* Jennifer James. RBA, 2006.

Visítenos en la web:

www.empresaactiva.com